오묘한 마음의 힘과 한시(漢詩) 이야기

김 가 원

마음의 묘한 힘에 주목한 시(詩) 세계의 이해

유남고전인문학당 원장 김 가 원

이 글은 행간의 뜻이 옛사람의 시에만 맞춰져 있지 않다. 시를 통한 우리 마음의 묘한 힘, 그것이 포인트다. 다시 말해 옛사람들의 시적 상상력을 통해 일체유심조(一切唯心造)의 이치를 음미해 보려는 시도다.

익히 알려져 있듯이 일체유심조(一切唯心造)란 세상의 일체 법이 오직 마음에서 일어난다는 뜻이다. 시에서 생명으로 삼고 있는 언어를 통한 시적(詩的) 이미지 그것의 이해를 우리 마음의 묘한 힘에서 찾아보겠다는 나대로의 노력인 셈이다.

예컨대 불어오는 바람에 눕는 풀의 모습을 보더라도 그렇다. 단순히 풀잎 위로 불고 있는 바람일 뿐임에도 시인에게는 그것이 바람과 풀만의 단순한 풍경이 아니다. 군자와 소인의 구별을 보기도 하고 수천 년 전부터 되풀이 되어온 신비한 생명의 수작을 발견하기도 한다. 이는 시적 이미지 안에 도사리고 있는 우리 마음의 신비로운 역할이다. 따라서 시를 이해하는 힘을 마음의 묘한 힘에서 찾아보고 그 같은 이해를 통해서 세상의 일체법을 구성하는 마음의 묘한 힘을 음미해 보겠다는 게 이 책의 기본 의도다.

따라서 이 책에 붙여진 제목이

「마음의 묘한 힘과 시적(詩的) 이미지」다.

물론 마음의 묘한 힘을 강조한다고 하여 시에서 활용되고 있는 언어의 역할을 가볍게 여기는 것은 아니다. 아름답고 기발한 시적 이미지가 의존하고 있는 우리 마음의 힘에 주목해서 옛사람들의 시 세계를 좀 더 깊이 이해하려는 것일 뿐 어디까지나 다루고 있는 내용은 결국 언어로 구성된 옛사람의 시다.

다만 언어 자체가 보여주는 시적 이미지를 소홀하게 여기지는 않더라도 이해의 포인트를 마음의 묘한 움직임에 맞추게 되면 생겨난 결론이 있다. 하고자 하는 말이 분명해지면서 기발한 착상의 시적(詩的) 이미지는 절로 따라오게 된다는 점일 것이다. 그만큼 우리가 마주하는 시적 이미지의 핵심은 열쇠가 결국 우리 마음의 미묘한 힘뿐이다.

하긴 그게 시뿐일까?

일상의 모든 분야의 모든 순간이 다르지 않다.

눈에 붙이면 볼 수가 있고 귀에 붙이면 들을 수가 있다. 코에 붙이면 냄새를 맡을 수가 있고, 이미지를 구성하는 사유 활동으로 발휘되면 그게 시가 되고 그림 등의 창작물이 된다. 그리고 이것이 옛사람의 시(詩)가 시(詩)만이 아닌 마음의 묘한 힘으로 이해되어야 한다고 말하는 가장 큰 이유다.

<제목 차례>

○ 옛사람들의 시론

옛사람들의 시에 관한 관점은 대체로 흡사하다.

먼저 익재 이제현의 시론이다. 그는 역옹패설에서 다음과 같이 설명한다.

"옛 사람의 시는 눈앞에 풍경을 묘사하였지만 의미는 말 밖에 있으므로, 말은 끝이 있지만 맛은 끝이 없다."

그런데 이런 내용의 주장은 현대 문학에서도 똑 같다.

예컨대 시로 표현되는 마음의 느낌을 주목해 보면 쉽다. 우리가 우리 마음의 움직임에서 어떤 모습을 찾을 수 있을까?

그럼에도 시원하다 춥다 등의 표현은 구체적인 이미지로서 한폭의 그림을 보는 것 같이 묘사할 수가 있다. 이는 마음의 신비로운 작용을 거치면서 일어나는 기적이다.

따라서 글쓰기는 우선 마음의 신비로운 기능에 주목할 필요가 있다. 그리고서 세상의 모든 이치를 하나의 그림으로 떠올리게 하는 시의 이미지다. 그 점에서 중요해지는 게 우리가 아는 시란 항상 문자로 드러나는 마음의 묘한 작용이라는 점이다.

○ 마음의 힘에 의존한 시적 이미지의 생성

마음속에 그림이 떠올려 보게 하는 소박한 사례.

먼저 우리가 창작시를 이야기하기 전에 마음의 느낌에 주목해 보면 생겨나는 결론이 있다. 평소 우리가 바라보는 사물의 어떤 모습, 이는 보는 사람마다 다르게 느끼기 마련이다. 그리고 그것을 우리는 눈앞에 분명한 그림처럼 말로써 그려 내는데서 작품 활동의 첫걸음이 시작되는 것이다. 마음의 묘한 힘을 활용한 세상살이의 한 방식이다.

예컨대 따뜻하다. 그립다. 보고 싶다. 다정하다. 이런 단어들을 그림으로 떠올렸다고 가정해 보자. 그 느낌은 본래 실체가 없는 우리 마음의 작용일 뿐 거기에는 분명히 어떤 구체적인 감각이 없다. 그러나 시인은 본래 이렇게 아무런 실체가 없는 우리 마음의 느낌을 하나의 구체적인 그림을 대하는 것처럼 문장으로 그려내야 하는 것이다.

실제로 우리는 새가 날아가고 무지개가 피어오르고 붉은 저녁 노을이 서산에 걸리고 하는 세상의 풍경은 사진을 찍듯 쉽게 그려볼 수가 있다. 그렇지만 마음의 그리움이나 사람의 따뜻한 정감 그런 것들은 그림으로 그려 낼 수가 없다. 그것은 보이지 않는 마음의 세계이기 때문이다. 그 점에서 보면 여기서도 결론이 같아진다. 우리가 아는 시란 세상을 바라보는 자기 관조 즉 마음의 신비로운 힘의 반영이다.

따라서 우리는 시를 대하면서 곰곰이 되새겨 볼 부분이 있다. 글이라는 게 단순히 바깥 세상의 풍경화뿐인가? 새가 날아가고 무지개가 떠오르는 경치뿐인가?

그렇지 않다. 어떤 산문이나 동시에는 친구나 죽은 어머니에 대한 그리움이 드러나 있고 사람이 사람에게서 느끼는 마음의 따뜻한 감정도 느낄 수 있게 하는 표현들이 많다. 그리고 내가 여기에서 말하는 그림이란 곧 그와 같은 마음속의 그림이다. 다만 그 그림들이 눈으로 직접 쳐다보듯 손으로 만지듯 코로 냄새를 맡듯 구체적이고 어떤 형상을 갖추고 있어야 한다.

옛사람의 시는 아니나 옛사람의 시를 통해 우리 마음의 묘한 힘을 엿보기 전, 현대 어린이의 시 하나를 예로 들어보자.

우선 할머니의 손자에 대한 지극한 사랑을 마음에 떠올렸을 때의 사례다. 그것을 어떻게 동시로서 그림을 그리듯 표현할 수가 있겠는가. 우리 마음의 신비로운 힘을 활용하면 누구나 가능해진다.

자기 자신이 사랑하는 손자 손녀이기에 무엇이든지 다 사주고 싶고 무엇이든지 다 갖게 해주고 싶고 맛이 있고 영양가 있는 것이면 무엇이든지 다 먹게 해주고 싶은 할머니의 손주 사랑 그것을 우리는 이미지로 떠올릴 수 있도록 마음의 힘을 활용하면 되는 것이다. 소개하는 아래 글이 바로 그렇다. 글쓴 이는 인천 담방초등 6학년 강진희 어린이다. 그 아이는 자신이 마음으로 느끼는 할머니의 손주 사랑을 다음과 같은 그려내고 있다.

방학이면 어김없이
들르는 할머니댁.

초인종을 누르지 않아도
애써 크게 부르지 않아도

할머니는 벌써 아시고
한걸음에 달려 나오신다.

이것 먹어 보아라.
저것 먹어 보아라.

빙 둘러 앉은 식탁에
할머니는 한술도 안 뜨시고
우리들만 챙기신다.

할머니도 드세요!
오냐 오냐! 많이 먹어라.

웃으시는 할머니의 주름진 눈가엔
온갖 정겨움이 다 고여 있다.

손자를 사랑하는 할머니의 깊은 사랑이 한폭의 그림처럼 잘 그려진 동시다. 손자가 할머니 댁을 찾아가면 바깥 인기척 소리만을 듣고서도 한걸음에 뛰어나오는 할머니. 이것 먹어 보아라. 저것 먹어 보아라 할머니는 숟가락질 할 생각도 하지 않으면서 손자가 챙기는 모습에서 느껴지는 할머니의 끔찍한 손자 사랑. 나이를 반영하는 할머니의 주름진 눈가의 미소띤 주름마저 정겨운 사랑으로 표현해내고 있다. 온갖 정겨움의 이미지. 보이지 않는 내 마음을 분명하게 자각했을 때라야 가능한 시의 생명력이다.

그러므로 우리는 여기서 이렇게 생각을 해보면 된다. 자기 할머니의 분에 넘치는 손주 사랑을 한마디라도 하고 있지 않다. 그런데 자기 마음으로 느끼는 내면의 감정을 이 아이는 한편의 짧은 이미지로서 상세하게 표현을 하고 있다.

반면 위의 동시와 다르게 좀 세련된 느낌의 이미지를 빌린 이런 동시도 있다.

겨울 나무는 안테나
바다를 건너오는

봄소식을 듣는다.

겨울나무는 안테나
산을
넘어오는
봄소식을 듣는다

도서출판 대일의 동요 동시 짓기라는 책에 실려 있는 '겨울나무' 다.

그 동시는 이렇게 고쳐서 실려 있기도 한다.

바다 건너 유채밭에
졸고 있던 노란 바람
어디만큼 오고 있나
목 늘이는 안테나.

산너머 보리밭을
쏘다니던 초록 바람
어디만큼 오고 있나
기다리는 안테나.

제목이 '겨울 나무' 라는 점을 기억하면서 음미해 보

면 된다. 들판 어딘가에 한 그루의 나무가 서 있다. 겨울이라서 잎이 모두 떨어진 그 나무가 이 동시의 지은이는 안테나 이미지를 빌려 시로써 표현하고 있는 것이다. 그렇다면 시는 우리 마음의 세계가 포착하는 신비로운 이미지의 반영이다. 그 말은 세상의 어떤 시라도 단순한 마음 바깥 어떤 풍경의 모사만은 아니라는 뜻이다.

이해를 돕기 위해 그 책 속에 실린 여타 구절을 소개하면 다음과 같다.

「산자락 어딘가에 서 있는 한 그루의 겨울나무가 있다. 우리는 눈으로 그것을 바라보지만 마음에서는 온갖 생각이 떠오르기 마련이다. 그리고 그렇게 생각을 굴리다 보면 문득 무릎을 치고 싶은 생각 하나가 떠오른다.

'그렇지, 꼭 안테나 같다.'

잎이 떨어진 나무가 아닌 안테나와 꼭 닮아 보인다. 실제 모습은 잎이 진 한 그루의 겨울나무일 뿐인데 내 마음은 달리 인식을 하고 잇는 것이다. 여기에서 생겨나는 후속 작업이 앞에서 선보인 한 편의 시다.

풍경을 읊는게 아니라 그 풍경을 바라보는 우리 마음의 신비로운 힘에 주목한 표현이다.

그러므로 결국은 시란 내 마음의 묘한 움직임을 자세히 들여다 보았을 때 표현이 가능한 시의 창작활동이다.

그러므로 그 마음의 상상력을 따라가면서 산자락에 서 있는 겨울나무를 계속 표현해보자. 언젠가 봄이 오면 그 나무는 줄기가 싱싱해지면서, 잎과 꽃을 달게 될 것이다. 그리고 그게 멀리서 보내오는 전파 즉 봄소식을 기다리는 겨울나무의 기다림이 된다. 그것을 시인은 안테나의 전파에 비유를 했다. 표현은 어떻게 이루어지고 있는가?

'하느님의 말씀?.'

'산 너머에 있는 친구 나무의 이야기?'

'아니다. 외계인의 휘파람 소리일 수도 있다.'

마음의 묘한 움직임은 꼬리에 꼬리를 물고 이어진다. 그리고 계절에 맞는 상황을 내 마음이 의식하게 되면 떠오르는 이미지가 있다.

'봄 소식을 듣는 안테나의 기능이다.'

겨울나무를 바라보며 생겨나는 마음의 이미지들이다.

길게 쓰인 시의 어떤 논평을 마음의 작용이라는 관점으로 바꾸어서 정리해 본 내용이다. 그럼 이 시에서 의존하고 있는 마음의 신비로운 힘은 초점이 어디에 맞추어져 있는 것일까?

그림을 대하면서 떠오르는 마음의 이미지다.

겨울나무가 기다리는 내 마음의 봄 소식. 저기 남쪽 바다 어디쯤 건너오고 있으리라는 설레임. 아니다, 이미 산 너머쯤 와 있을지도 모를 일이다.

나무의 느낌이 아닌 서 있는 나무에 의지한 내 마음의 느낌이다.

그래서 불교의 화엄경에서는 일체가 모조리 마음에서 일어나는 하나의 신비로운 경계에 지나지 않는다고 표현을 했다.

그럼 우리 마음에서 일어나는 그런 설레임을 시로서 짓는다면 어떻게 표현을 하겠는가. 읽는 독자들도 내가 그렇듯이 똑같은 이미지로 느낄 수 있는 마음의 그림을 필요로 하는 것이다. 다만 그것이 내 마음에 의해 포착된 그림이라도 주의해야 하는 부분은 있다. 시로서 표현되는 이미지들이 나만이 느낄 수 있는 형식이 아닌 다른 그 누구라도 그렇게 느끼게 되어 있는 상식적인 이치에 바탕을 두는 그림이라야 한다는 점이다. 예를 들어보면 다음의 시가 그렇다.

구월은 (제해만)

여름 더위 물러가면
구월,
구월은 천천히 가을을 만든다.

햇볕은 조금씩 식혀 내리고
바람도 조금씩 가볍게 놓아 준다.

추석이 오기 전에
구월은
제삿밥 지을 벼를 먼저 익히고
대추, 밥, 능금도 여물게 한다.

그러나
구월은
가을을 다 만들지는 않는다.

나뭇잎도
노랑바탕만 조금 칠하고
시월이 그리게
늘 남겨 둔다.

서두르는 일 없이
구월은
자기 할 만큼만
천천히 가을을 만든다.

제해만은 1944년 경남 의령 출생이다. 1968년 한글문학 현상 공모 당선으로 등단했다. 동시집으로 '바람의 집', '어른들은 모르셔요' 등을 펴냈다.

이렇게 보면 시는 결국 단순한 글짓기가 아닌 마음의 힘에 주목하는 또 다른 형태의 인간 탐구 작업이다. 그렇기에 시에 대한 이인로의 평이 다음과 같아지게 된다.

○ 이인로의 주장을 참고한 시에 대한 이해

이제부터는 옛사람의 시다. 우리가 옛사람의 시로서 우리 마음의 묘한 작용을 이해하기 위해서는 이인로의 다음 주장을 먼저 참고하면 좋다.

「시와 그림이 묘한 곳에서 서로 일치하는 것이 한결같다 하여 옛사람이 그림을 소리 없는 시(無聲詩)라 일컫고, 시를 운(韻)이 있는 그림이라 일렀으니, 대개 만물의 형상을 모사하여 하늘이 아끼고 감추는 바를 파헤치는 점에서 그 술법은 이미 기약하지 않아도 서로 같은 것이다.」

마음의 묘한 힘을 상기시키는 이인로의 시론이다. 그러므로 거기에서는 생겨나는 결론이 있다. 시가 창작되는 과정의 본(本)과 말(末)의 문제다.

이는 시를 짓고자 할 때 문장과 마음의 어느 쪽에 더 큰 비중을 두어야 하는가의 선택으로 이어진다.

그러나 이 질문에 답하기 전, 옛사람들의 일반적인 문장론을 먼저 살펴보자. 인용하는 본문은 연천(淵泉) 홍석주의 현암유고서(玄巖遺稿序)다.

「문장은 반드시 선진(先秦-진나라 이전)과 서경(西京-서

한 즉 전한을 가리킴)이라야지, 아래로 내려오면 한유(韓愈-당나라의 문인)나 구양수(歐陽脩)가 될 뿐이고, 시는 반드시 조식(曹植-위나라의 시인)·유정(劉楨-당나라의 문인)·도연명·사조(謝朓-남齊의 시인)라야 되고, 아래로 내려오면 당나라 시대의 성한 문장이 될 뿐이라고 말하는 이들이 있다. 이는 옛것을 좋아하는 사람이면 누구나 주장하는 말이다. 그런데 시대의 흐름을 쫓고자 하는 자들은 이런 주장을 비웃는다.

"삼대의 문장이 진한의 문장으로 되지 않을 수 없었고, 진한의 문장이 당·송의 문장으로 되지 않을 수 없었던 것은 모두 사세의 필연이다. 하필 당·송만은 원·명(元明)의 문장이 될 수 없고 또한 지금 시대의 새로운 문체가 될 수 없겠는가?"

하여, 기교와 기이함을 다투고 문장의 아름다움으로만 기울어 날카롭거나 가늘게 되고, 백 가지 괴이함이 어른거려 눈을 현혹하고 귀를 빼앗아가니, 문장의 비루함은 극에 달하고 그 피해는 또한 마음으로 획책하는 잔꾀로까지 옮겨갔다. 아아, 저 시류를 쫓는 자들은 진실로 잘못되었거니와 이른바 옛것을 좋아하는 자들도 또한 그 고문에 능함을 마침내 보지 못하겠으니, 그 까닭은 무엇인가?

대저 문장이란 언어의 정수요, 언어란 마음의 소리이다. 저 본래대로의 대박(大樸)이 분리됨으로부터 천하가 영리

하고 천박한 데 습관이 되어 온 지가 오래되었다.

그 심사와 성정의 은밀한 데로부터 한 번 입을 놀리고 한번 발을 옮김에 이르기까지 시대의 좋아하는 바를 쫓는 것 아님이 없음에도, 한갓 필묵과 자구의 표현만은 고인의 투를 본떠 답습하려하니, 또한 거리가 멀고 말단의 일이 아니겠는가?」

이 글에서 연천은 강조하는 게 마음의 소리를 대신한 대박(大樸)의 개념이다.

도덕경에 기초한 표현으로서 이 역시 핵심은 삶의 본질이다. 단어 해석은 하지 않겠지만 인간 삶의 진실을 꿰뚫게 하는 삶의 본질이라는 뜻이다. 결코 기교 등의 아름다운 문장이 아니다.

그 점에 있어서 호응린은 더욱 직설적이다. 인용은 역대 한시 비평이다.

「사언은 간결하고 꾸밈이 없는데 구가 짧아 곡조가 미쳐 펴지지 못하고, 칠언은 번지르르하고 화려하여 문체가 번다하고 성조가 쉽게 조잡해진다. 번다함과 간결함을 절충하고 아름다운 문채와 본질의 우아함을 얻기에는 대개 오언보다 나은 것이 없다. 그러므로 삼대 이하 양한 이래로 문인과 예인들은 노력은 평생의 정력을 모두 이쪽에 쏟아 작품 전체의 훌륭함과 일부의 공교로움으로써 이름이 천하에 전해지고, 명예가 고금에 두루 통하는 자가 되었다.

오언(五言)은 한(漢)에서 성하고 위(魏)에서 퍼졌으며, 진(晉)·송(宋)에서 쇠하고 제(齊)· 양(梁)에서 망하였다.

한나라 사람들의 시는 질박함 가운데 문채가 있고, 문채 가운데 질박함이 있는데, 혼연하고 하늘에서 이루어진 듯하여 흔적이 전혀 없는 것이 고금에서 빼어난 이유다.

반면 위나라 사람들은 넉넉하면서도 늘어놓지 않았고, 화려하면서도 유약하지 않았지만, 문채와 질박함이 분리되었다. 진과 송은 문채가 성하여 질박함이 쇠락하기 시작했으며, 제와 양은 문채가 승하여 질박함이 사라졌고, 진(陳)과 수(隋)는 그 질박함은 물론이고 문채에 있어서도 논할 만한 것이 없다.」

오언에 대한 호응린의 예찬!

왜 그 많은 문체 가운데 하필 오언인가?

여기에 주목하면 해답이 있다. 마음의 묘한 작용이 본래 어떤 실체가 없음에도 표현은 다양하게 드러나기 때문이다. 본말(本末) 질박함과 화려함, 번다함과 간략함, 오언과 칠언 등으로까지 갈래를 헤아리기가 어렵다. 또 문채를 보더라도 그렇다. 아름다운 문채도 있고, 투박하기도 하다. 사물을 바라보는 마음의 작용이 그야말로 종잡기 어렵도록 신비로운 것이다.

따라서 문학이 인간의 언어로 인간의 삶을 다뤄온 인간 표현의 한 양식이라면 그것은 반드시 그 맥이 인간의 신비로운 마음의 작용으로 이해되어져야 하는 필연성이 생겨나게 된다. 그래서 익제 이제현은 역옹패설에서 다음과 같은 주장으로 자신의 시론을 펼치게 된다.

「옛사람의 시는 눈앞에 풍경을 묘사하였지만 의미는 말 밖에 있으므로, 말은 끝이 났지만 맛은 끝이 없다.」

이는 우리에게 우선 마음에 의해 표현되는 시의 특징을 분명히 알 수 있게 만든다. 단순히 눈앞의 풍경조차도 풍경 그것만으로 국한되어 있지 않다는 주장이다. 그보다는 우리가 마음으로 읽어내는 더 깊은 세상의 어떤 이치, 그것이 나타나 있어야 한다고 보는 것이다. 그게 무엇일까? 비어서 실체가 없는 마음의 묘한 작용? 너무 지나친 비약이다. 그러나 꼭 마음의 묘한 작용은 아니라도 좀 더 은밀한 세상의 이치 그것을 강조하고 있는 것만은 분명하다.

그래서 생각이 미치는 게 이승인의 다음 주장이다.

공자께서 정리한 시경에 의존하고 있다는 점에서 전개하고 있는 문장론이 앞의 이제현보다 이승인은 더욱 직설적이다.

「시가(詩家)의 근본은 시경의 시 삼백 편(三百篇)이다. 성인은 일찍이 평해 말씀하시기를, "관저(關雎-시경에 실린 시의 편명)는 즐거워해도 도에 지나지 않으며, 슬퍼해도 마음을 상하지 않는다.」

라고 하였다.

또 말하기를, 「시 3백 편을 한 마디로 덮어 말한다면, 마음속에 사특함이 없게 함이 된다.」고 하였다.

「시도(詩道)의 변천이 지극하여 논평하는 자가 왕왕 정성에 근본을 두지 않고, 한 구절 한 글자의 기교에만 힘을 쏟으니, 나는 이를 병통으로 여긴 지 오래다.」(이숭인)

병통이 되고 마는 기교를 경계하고 있는 이숭인의 시론! 그것은 무엇을 의미하는 것일까? 일체 사물의 출현을 통해 보여주고 있는 마음의 신비스러운 작용, 그것은 아닐까? 이는 문장의 기능이 눈앞의 모든 현상과 관련되어 있다는 점에서 의심할 수 없는 추정 가운데 하나다. 그리고 이를 뒷받침하는 시각이 바로 예기(禮記)와 이인로 등에 의해서 다루어지고 있는 다음의 지론들이다.

「시와 그림이 묘한 곳에서 서로 일치하는 것이 한결같다 하여 옛사람이 그림을 소리 없는 시(無聲詩)라 일컫고, 시를 운이 있는 그림이라 일렀으니, 대개 만물의 형상을 모사하여 하늘이 아끼고 감추는 바를 파헤치는 점에서 그 술법은 이미 기약하지 않아도 서로 같은 것이다.」(이인로)

그 밖에도 본질을 염두에 둔 이런 주장들도 있다.

「시란 말하기 어렵다. 시를 말하는 사람이 기(氣)만 논하고 리(理)를 논하지 않는 것은 잘못이다.

기(氣)는 겉으로 나타나는 것이며, 리(理)는 내용을 지키는 것이다. 내용을 지키는 것이 견고하지 못하면 범가(泛駕), 궤우(詭遇)의 꺼려함을 면하기 어렵다. 그 까닭에 시는 삶의 이치(理)를 귀하게 여긴다.

시를 잘 짓는 사람은 사물의 이치(理)에 대하여 깨달았기 때문에 근본을 잃지 않는다. 만일 근본을 잃게 되면 아무리 호탕하고 아름다우며, 여러 가지로 수식하였을지라도 이것을 시라고 말할 수는 없다.」(雷溪詩集序)

「성음과 동정은 성정이 사물에 감동하여 움직이며 변화한 것으로서 이 두 가지가 전부이다. 그러므로 사람은 즐거워하지 않을 수 없으며 즐거워할 때에는 나타나지 않을 수 없다. 그 나타난 것이 바른 방향으로 인도되지 않으면 어지러워져 음란으로 흐르게 마련이다. 선왕이 그 어지러움을 미워하여 아송 같은 바르고 우아한 음악을 제정하고 이것을 바른 방향으로 인도하였다[예기의 악기].

사람들이 아송의 정악을 들을 때는 음란하고 사특한 생각이 싹트지 않아 그 의지가 광대해질 수 있다. 그러므로 음악은 천지의 큰 가르침이며, 사람의 성정을 올바르게 하는 대강이다.」(예기 악기)

사람의 성정을 올바르게 하는 기본 대강(大綱), 그것은 바로 이 책에서 문학물을 통해 살펴보려는 삶의 본질이자 마음의 묘한 작용에 대한 부분이다. 보여지는 색깔이나 들려오는 소리만이 아닌, 보여지는 색깔을 볼 줄 알고 들려오는 소리를 들을 줄 아는 마음의 묘한 작용 바로 그것인 것이다.

그래서 그 같은 본질의 작용에 주목하게 되면 언어로서 어떤 의미를 묘사해내는 시의 성격은 하나의 작은 기교에 지나지 않는다. 그러므로 이와 같은 세상의 묘한 도리를 깊이 있게 묘사할 수 있으려면 눈에 드러난 세상의 명예와 이욕에서 자기의 마음이 얽매여 있어서는 안 된다.

그렇기에 장자도 말하길 '욕심이 많은 자는 천기가 얕다' 고 하였다. 하물며 본질을 추구하려는 시인의 삶에 있어서랴. 그런 이유 때문에 최승태의 시집 서문[雪蕉詩集序]에서 펼치는 지론은 다음과 같아진다.

「예로부터 살펴보면 시를 잘하는 사람은 산림과 초택 사이에서 많이 나왔다. 부귀하고 세력 있는 자라고 해서 반드시 잘 할 수 있는 것이 아니다. 이로 미루어 본다면 시는 작은 것이 아니다. 그 사람됨까지도 또한 알아볼 수 있는 것이다.」

물론 이 같은 옛사람들의 주장이 모두가 동일하게 삶의 본질을 강조하는 내용이라고 결론짓기는 어렵다. 또 그렇다고 결론짓기를 기대할 것도 없다. 다만 인간의 일상적인 삶은 성정으로 나타나고, 성정의 토대는 사물을 이해하는 눈에 달려 있다는 점에서 중요해 지는 게 세상을 근본에 입각하여 바라보려는 우리 마음의 눈이다.

하물며 본(本)과 말(末)로 문장을 구분 짓고 그것을 수용하려는 삶의 태도 문제이겠는가! 그 해답은 결국 이런 도리를 음미해 보면 생겨나는 결론이 있다.

문장에 대한 관심과 문장을 통해 표현되는 마음의 묘한 작용의 문제다. 다음 주장은 바로 그런 관점의 반영이다.

「시라는 것은 말로 드러나되, 기운이 실려 나타나는 것이다. 옛날 사람들이 시를 읽으면 그 사람을 알 수 있는 것도 바로 그 때문이다.」

시란 결국 우리 마음의 힘이 언어를 통해 보여주는 신비로운 행위임을 강조하는 내용이다.

그러나 시에서 그 생명력을 마음의 신비로운 작용에서 찾더라도 반드시 중요하게 여겨야 하는 항목이 있다. 마음의 신비로운 작용이 드러날 때 수단으로 활용되는 문장의 중요성이다. 그러므로 시를 말하면서 문장을 하급의 기교로 단정하고 천지자연의 도(道)만을 강조하는 시론은 결코 바람직하지 못하다.

왜일까? 그 까닭은 다음 두 가지다.

하나는 세상의 모든 현상이 본래 실체가 없는 특징을 지녔기 때문이다. 세상의 모든 현상에 본래 실체가 없다면 상하의 기교로 시를 분별하는 일은 진실로 부질없는 노릇에 불과하다.

둘째는 본래 실체가 없는 세상의 이치를 시로 읊기 위해서는 분명 의지하는 기교 역시 그 사실에 부합하는 문장을 빌려야 하기 때문이다.

이는 결국 표현의 문제로서 두 가지 모두 우리 마음의 신비로운 힘에 주목하더라도 그것은 너무나 자연스러운 결론이다.

그래서 불립문자(不立文字)를 강조하는 불교에서도 결국 문자를 끝까지 버리지는 않는다.

안립문자(安立文字)! 문자를 세워야 하는 행위의 중요성을 남겨두는 것이다.

다만 본래 실체가 없는 세상의 이치에 눈뜨고 있어야 한다는 점에서 보면 문장을 활용하는 일 역시 지나치게 얽매일 필요는 없기에 생겨나는 개념이 있다.

비안립문자(非安立文字)

기신론에서 말하는 마음 활용의 양면적인 사례다.

그리고 그런 맥락에서 최승태의 다음 주장은 나름대로 의미가 깊다.

인용문은 설초시집(雪蕉詩集) 머리말에 실린 그의 주장이다.

「시는 하나의 작은 기교이다. 그러나 명예와 이욕에서

벗어나 마음에 얽매인 바가 없지 않고는 잘 지을 수가 없다. 장자가 말하길 '욕심이 많은 자는 천기가 얕다' 고 하였다. 예로부터 살펴보면 시를 잘하는 사람은 산림 초택 사이에서 많이 나왔다. 부귀하고 세력 있는 자라고 해서 반드시 잘 할 수 있는 것은 아니다. 이로 미루어 본다면 시는 작은 것이 아니다. 그 사람됨까지도 또한 알아볼 수 있는 것이다.」

최승태가 말하는 시를 잘 짓는 길 그것은 그가 인용하는 장자의 가르침처럼 욕심을 버리고 천기를 깊이 살펴 아는 길이다. 욕심을 버린다는 것은 마음 자체의 움직임이 본래 실체가 없음을 자각해야 더욱 힘을 얻는 경지가 된다.

변하고 바뀌는 까닭에 세상의 모든 것에 본래 실체가 없음을 알게 하는 주역의 깊은 도리 즉 예기의 경해(經解) 다음 구절 역시 그 점에서 설득력을 지닌다.

청아하여 사려가 깊음이 역의 가르침이다. 잘못하면 역은 적으로 만든다. 청아하여 사려가 깊으면서 적으로 되지 않음이 역에 깊은 자이다.

그럼 실제 시와 비교할 수 있는 주역은 어떨까?

처음부터 끝까지 인간으로서의 마땅한 도(道)를 강조

한다.

사람이 무엇을 지향하면서 어떻게 살아야 하는지 그 결과 무엇이 우리의 인생에서 행복을 가져오며 불행을 초래하게 되는지 그것만을 역은 보여주고자 한다. 그러므로 공자는 이미지를 통한 성정의 순화를 강조하는 시와 달리 덕을 직접적으로 강조해서 말한다.

공자께서 말씀하셨다.

"남국 사람에게 말이 있으니 '사람으로서 항시 고수함이 없으면 무(巫)도 의(醫)도 될 수가 없다' 고 하였다. 참으로 옳은 말이다. 그 덕을 항상하게 하지 않으면 남에게 부끄러운 일을 당하게 된다."

공자께서는 또 말씀하셨다.

"점을 할 것도 없을 만큼 이 말은 틀림없다."

따라서 그 점 때문에 주역에서는 시 등의 문장(文章)에 초점을 맞춘 행위를 소축(小畜)으로 이해를 하고 천지자연의 도(道)에 기초한 덕행을 대축(大畜)으로 구분해서 설명을 한다.

○ 아쉬움으로 끝난 천재들의 묘한 마음의 힘

사람의 일생은 예측하기가 어렵다. 어떤 사람은 타고난 재물운이 풍족한 경우도 있고, 명예, 건강, 타고난 재능도 사람마다 다르다.

이는 마치 우리 마음이 보여주는 작용의 신비로움을 그 누구라도 예측하기 어려운 이치와 너무나 흡사하다. 그렇더라도 더욱 알 수가 하늘은 어느 누구에게나 모든 것을 갖추어주지 않는다는 점이다. 그게 혹 선택의 문제였다면 하나를 취하고서 무엇인가를 포기해야만 얻을 수 있었던 일종의 운명으로 여겨질 때가 많다. 그래서 그런 상황을 지켜보는 사람으로서는 그 결말이 여간 아쉬운 노릇이 아닐 수가 없다. 그리고 그 가운데 하나가 타고난 시적 재능에도 불구하고 짧은 나이에 요절한 이들의 기록이다.

세순은 호가 죽헌(竹軒)이었다.

어린 나이에 겨우 맹자를 읽고서 글을 지을 줄 알았다.

반면 그의 시는 어린아이답지 않게 시상이 마치 물 솟듯하여 귀신이 돕는다고 여겨질 정도였다.

그는 산에서 거처하다(山居)라는 시에

아침에는 흰 구름과 같이 가고

저물어서는 밝은 달을 따라 온다."

朝伴白雲去(조반백운거)

暮隨明月來(모수명월래)

고 하고, 나무를 베는 소리를 들었을 때는

가을이 구름 낀 산 가운데 깊으니
나무꾼이 도끼를 메고 길을 가도다.
나무 찍는 소리 정정한데
옷을 벗고 목소리 높여 야호(耶許)를 외친다."
秋深雲山中(추심운산중)
樵人荷斧去(초인하부거)
伐木聲丁丁(벌목성정정)
袒裼呼耶許(단석호야허)

라고 하였다.

어린애가 시를 잘한다는 말을 듣고 어떤 친척이 작별 인사차 들렀다가 시 한 수를 청했다.

즉석에서 그는 읊기를,

보내기를 임하여 버들가지 잡아매니
천암만학에 길은 멀고 멀구나.
남쪽 시골에서 다른날 서로 생각하는 곳은
소쩍새 울음에 푸른 묏부리 높다네.
臨釋門前綰柳條(임석문전관류조)
千巖萬壑路迢迢(천암만학로초초)
南鄉他日相思處(남향타일상사처)

蜀魄聲中碧嶺高(촉백성중벽령고)

겨울이 눈이 녹고 봄이 되어 많은 시인 묵객들이 그 아이의 부모님을 찾아 모여들었을 때는 이런 시도 읊었다.

동지에 一陽이 생겨나 땅의 기운이 풀리니

개인 날을 좋아하는 황새가 공중에 오르도다.

못 딸린 객사에 눈 녹아 봄날인가 의심했더니,

바로 이는 산남의 10월 바람이로구나.

冬至陽生土氣融(동지양생토기융)

喜晴鵝鸛上遙空(희청아관상요공)

雪消池館疑春日(설소지관의춘일)

正是山南十月風(정시산남십월풍)

라고 하였다.

성현의 외숙 안씨 부부가 건물을 하나 완성하고 기문을 쓰고자 할 때였다. 안씨의 아들 연이 장난삼아 네가 이 기문을 쓰겠느냐고 지나가는 말처럼 물었다.

이에 아이는 사양하지 않고 수춘(壽椿)이라 이름 붙인 그 당호와 결부시켜 다음과 같이 붓으로 즉석에서 써내려갔다.

참죽나무(椿)는 나무 중에서 수하는 것이니

부모의 세수를 나무의 수명과 같게 함은

효성스런 자식이나 어진 사람 한결같이 바라는 바라

椿者樹之壽者也(춘자수지수자야)

父母之壽如椿之壽者(부모지수여춘지수자)

孝子仁人之所欲也(효자인인지소욕야)

라고 하였다.

이에 모여 있던 사람들은 모두 탄복을 하며 칭하해 마지 않았으나 15살에 채 피어나지도 못하고 생을 달리하고 말았다. 모두들 그 요절을 애석하게 여겼으니 지나치게 사람의 기력이 문장으로 표출된 까닭인가.

아니면 그것이 그 아이의 타고난 운명이었던가.

잠시 헤아려보게 되는 마음이 크다.

왕필도 젊은 나이에 생을 달리했으니 어찌 보면 그것이 사람의 타고나는 복의 한계라고 믿어보는 것은 것은 어떨까. 우스운 결론이기는 하다.

○ 시는 보고 느낀 마음의 눈 그대로

시가 마음의 느낌을 이미지로 문장으로 표출해 내는 재주라면 그 두 가지 재능을 어려서부터 유감 없이 발휘한 인물이 또 있다. 매창이다.

그녀는 조선 시대의 유명한 여류시인이었다. 기생의 생을 살았던 그녀는 나이 열 살, 읍으로부터 이십 리 가량 떨어진 백운사를 찾은 일이 있었다. 지금의 백일장과 같은 하계 시 대회가 열리는 날이었기 때문이다.

사람들이 그곳으로 몰려가는 것을 보며 그녀도 구경삼아 발걸음을 향했다.

그날의 시회는 운자가 간(間)과 한(閑) 두 자였는데 사람들이 운자에 맞춰 시를 짓느라 몹시 전정긍긍하는 모습을 보면서 함께 따라간 서당 훈장에게 이렇게 말했다.

"선생님, 일류 시인이라는 분들이 시 한 수 짓는데 왜 저리 어려워하나요."

그 한마디에 서당 훈장은 이렇게 대답했다.

"시를 짓는 일이 본래 그렇게 어려운 것이란다."

그러자 매창의 다음 대꾸가 의외였다.

"시란 보고 듣고 느끼는 그대로 지으면 그만인데, 뭐가 어려워요? 이태백이란 시인은 술을 한 잔 마실 때마다 시를 한 수씩 지었다고 하는데, 시 짓기가 그렇게 어려우면 어찌 술 한 잔에 시 한 수를 지을 수 있었겠어요?"

매창의 말에 어이가 없었던 훈장은

"너에게 시 짓기가 그렇게 쉽다면 너도 한 수 지어 볼 자신이 있느냐?"

매창은 사양하지 않았다.

그리고 즉석에서 다음과 같은 시를 한 수 지어 보였다.

제목이 '백운사' 였다.

백운사

이 매창

백운사 절에
올라가 봤어요.

절은 이름 그대로
흰구름 사이에 있군요.

스님! 흰구름을
쓸어버리지 마세요.

내 마음이
흰구름 보면 한가로워져요.
步上白雲寺(보상백운사)
寺在白雲間(사재백운간)

白雲僧莫掃(백운승막소)

心與白雲閑(심여백운한)

간(間)과 한(閑) 운자마저 제대로 갖춘 천재적인 한편의 싯구임이 분명했다.

○ 본래 실체가 없는 마음의 신비와 신항

본관이 고령으로 조선조 참판 신종호의 아들로 성종의 가장 큰딸에게 장가를 든 신항은 나이 겨우 7,8세에 이미 시를 잘하였다. 그는 그때부터 벌써 시전을 익혀 알았고 특히 황산곡집(黃山谷集)에 정통하였는데 부친 종호가 외어 보라 하니 한자도 틀리지 않고 외웠다. 그래서 그의 부친은 산수도(山水圖)를 내어 절구를 짓게 하였다. 그는 말이 떨어지자 마자 이렇게 거침없이 읊었다.

물은 푸르고 모래는 밝아 가을 기운 높은데,

볕을 따라 나르던 기러기 갈대밭으로 내리는구나.

다시 보니 연기 같은 비 창망한 저쪽 밖으로,

털끝 같이 푸른 산이 나의 집이로구나."

水碧沙明秋氣高(수벽사명추기고)

隨陽征雁下叢蘆(수양정안하총로)

更看烟雨蒼茫外(갱간연우창망외)

一髮靑山是我廬(일발청산시아려)
이에 부친이 듣고 경탄하기를,
"이 애가 후일 반드시 대가가 될 것이다."
라고 했다.
어쨌든 그는 천성이 고상하고 온아하여 온 집안이 그로 인해 항상 조용하였다. 또 시와 거문고로 인생을 즐기면서 호수와 산을 자주 찾았다. 그래서 몸은 서울에 거처하면서도 마음은 언제나 물과 바위 사이에 있었다. 서호에 집을 짓고 틈이 있을 때마다 그곳에 가는 것이 상례였다. 그렇지만 그는 일찍 죽었다. 그리고 죽으면서도 그는

살아 아름다운 집에 살다가
시들고 떨어져서 산언덕에 돌아간다."
生存處華室(생존처화실)
零落歸山阿(영락귀산아)

라는 시구를 유연하게 읊었다.
병이 위독해 어떤 사람의 위로를 받았을 때였다. 그 사람의 말이
"하늘은 선한 사람에게 복을 주고 못된 사람에게 화를 내리는데 공과 같이 착한 사람이 어찌 불행할 이치가 있겠습니까?"
였다.
공이 그 말에 이렇게 반문했다.
"하늘이 과연 그럴까요? 하늘이 그렇다면 어찌 안자가

요절했으리요. 하늘이라고 만물 하나하나에 오래 살고 요절하는 명에 간여하지는 않을 것입니다. 사람이란 모두 오래 사는 것을 좋아하고 요절을 싫어하니 이것은 이치에 달통하지 못한 것입니다. 조물주가 사심이 없는 것이 어찌 즐거운 일이 아니겠오."

역책할 무렵에(易簀之際)[1] 그 동생 신잠에게 말하기를
"사람에게는 근신(謹愼)이 첫째요 재예(才藝)가 다음이다. 이 두 가지를 겸해 가지면 정말 좋겠으나, 둘을 겸해 갖지 못한다면 차라리 재예를 버리고 몸을 삼가는 근신을 지켜야 한다."
라고 하였다.

출전은 신항의 이요정집이다.

---

1) 증자가 죽을 때 깔고 있던 자리가 그 당시 노나라의 집권한 계씨가 보낸 자리라 하여 의롭지 못한 자리에서 죽을 수 없다 하고 깔고 있는 자리를 바꾸게 한 뒤에 새로 깐 자리에서 운명하였다. 그로부터 사람이 운명하는 것을 자리를 바꾼다 하여 易簀이라 한다.

○ 문장(文章)과 수(綉)

주례의 고공기에 "청(靑)과 적(赤) (섞은 색을) 문(文), 적(赤)과 백(白)을 장(章), 백(白)과 흑(黑)을 보(黼), 흑(黑)과 청(靑)을 불(黻)이라고 한다." 하였다. 이는 계절로 상징하면 봄·여름·가을·겨울이 되고 방위로 따지면 동·서·남·북이며 오행으로는 목화금수(木火金水)에 해당하는 내용의 색상이다. 우리가 사용하는 문장(文章)의 개념은 바로 여기에서 유래했으니 글로서 드러내는 우리의 안목이 바로 천지자연의 이치에 자연스럽게 일치해야 훌륭한 글이 될 수 있다는 관점을 그 하나의 단순한 용어에서도 느끼게 하는 예다.

또 고공기에서는 이들 네 가지 색상이 조화롭게 갖추어진 것을 수를 놓는다는 뜻의 수(綉)가 된다고 하였다. 앞의 문장과 마찬가지로 자수의 개념도 천지자연의 덕을 일정한 색상의 무늬로 아로새겨 대신했음을 의미하는 말이다. 그러나 그때의 자수는 이들 네 가지 색상의 간색(間色)을 뜻하지 않는다. 간색은 서로를 혼합한 색으로써 슬(靑+瑟), 험(䵡), 점(黃+炎) 첨(黃+占) 천(黃+舌) 및 백(白+市) 정艶 담(黑+奄) 참(黲)이 되고 수(綉)라고 일컫지 않기 때문이다.

문(文)이 동쪽과 남쪽, 장(章)이 서쪽과 남쪽, 보(黼)는 서쪽과 북쪽, 불(黻)은 동쪽과 북쪽에 치우쳐서 속해 있다면 수는 이들의 덕을 조화롭게 보여주는 중앙 바탕의 색이다. 그래서 역의 중지곤에서는 黃裳元吉을 말하고 문채가 중에 있기 때문이라고 하였다. 이는 땅괘의 덕이 하늘의 덕에 유순하여 그 안에 사방의 바른 색을 겸했다는 조화로움을 엿보게 하는 구절이다.

그리고 이를 배경으로 읊고 있는 한 편의 시가 바로 시경의 녹의황상(綠衣黃裳) 편이다. 그 내용은 다음 장에서는 다루었다.

○ 의상의 개념을 통해 살핀 삶의 본질

아마 생명을 가진 부류로서 인간이 동물과 구별되는 것 가운데 하나는 옷으로 알몸을 가리는 행위일 것이다. 지금은 자기의 옷차림이 자기의 개성을 마음껏 뽐내고 시대의 유행을 이끄는 경향이 더 크지만 그것도 취부를 가리는 기능을 앞선 현상은 아니다.

그러므로 인간이 벌거벗은 모습에 대해 부끄러움을 알고 그 부끄러움을 감추려는 노력을 옷차림에서 보여준다면 거기에는 당연히 근거하는 바 숨은 이치가 반영되어 있기 마련이다.

그래서 시경의 패풍(邶風) 녹의(綠衣) 장을 두고 성호는 다음과 같이 풀이한다.(綠兮衣兮綠衣黃裳心之憂矣曷維其亡' 이라는 구절의 해설이다.)

"의(衣)는 하늘 괘를 본뜬 것이요, 상(裳)은 땅 괘를 본뜬 것이니 곤(坤)은 건(乾)을 이어 받드는 것이다. 건(乾)의 구오(九五)에 임금의 뜻이 있다면 곤(坤)의 육오(六五)는 곤괘(坤卦)의 지극한 위치에서 자리를 바르게 한 형상이 있으므로 황중(黃中)이고 정위(正位)라고 하였다. 곧 육오의 중정(中正)과 구이의 정중(正中)이 이미 순수한 괘상에 있어서 바르지 아니함이 없다. 그런 즉 녹색에 해당하는 옷(衣)의 혼합색(間色)은 천지 자연의 이치에 어두운 위장공의 인간됨을 묘사한 개념이고 치마의 황색(黃色)은 장강의 현숙한 데에 비유한 것인데 의(衣)와 상(裳)으로 말한 것은 하늘과 땅 즉 건(乾) · 곤(坤)의 뜻이다." 역의 괘상에서 건곤의 작용을 설명할 때 하늘을 현(玄), 땅을 황(黃)으로 빗대어 나타내는 상징성 그대로다.

그러나 여기서는 그 시속에 반영되어 있는 역의 이치는 잠시 떠나서 이 시경 구절의 역사적인 배경부터 먼저 먼저 살피기로 한다.

위장공(衛莊公)은 춘추시대 위 무공(衛 武公)의 아들이었다. 이름은 양(楊). 그는 적당한 미모에 현숙한 아내였던 장강이 아들을 낳지 못하자 돌보지 않고 버렸다. 그리고 그것을 시의 형식을 빌려 노래하는 내용이 바로 역의 乾

坤이다.

장강이 위장공으로부터 어떤 이유에서건 버림을 받았다면 그 같은 상황을 읊고 있는 게 다음의 시다.

녹색 저고리여! 녹색 저고리 황색 속옷이네
마음의 근심이여! 언제나 모함을 그치려나
綠兮衣兮(녹혜의혜) 綠衣黃裏(녹의황리)
心之憂矣(심지우의) 曷維其已(갈유기이)

녹색 저고리여! 녹색 저고리 황색 치마라네
마음의 근심이여! 언제나 모함을 없애려나
綠兮衣兮(녹혜의혜) 綠衣黃裳(녹의황상)
心之憂矣(심지우의) 曷維其亡(갈유기망)

녹색 명주실이여! 그대가 한 짓이라네
나는 옛사람 생각하며 허물 없게 하였네
綠兮絲兮(녹혜사혜) 女所治兮(녀소치혜)
我思古人(아사고인) 俾無訧兮(비무우혜)

모시옷 베옷이여! 바람 불어 차갑구나
나는 옛사람 생각하며 실로 내마음 달래네
絺兮綌兮(치혜격혜) 凄其以風(처기이풍)
我思古人(아사고인) 實獲我心(실획아심)

출전은 시경(詩經)의 녹의(綠衣) 편이다.

모시(毛詩)에 의하면 녹의(綠衣)는 위(衛)나라 장강(莊姜)이 자기의 속상함을 읊은 시라고 해석했다. 첩이 장강을 모함하여 부인이 지위를 잃게 되면서 읊었다는 뜻이다.

전체적인 내용이 모시의 해석 그대로다.

가을의 찬바람에 버림을 받은 모시옷의 서러움이 잘 드러나 있다.

색상에 비유하면 황색은 정부인 신분의 장강이다. 그런데 미천한 신분의 폐첩에게 장공의 총애를 잃고 말았으므로 시의 묘사가 위와 같다.

첩의 모함을 받아 정부인의 위치에서 쫓겨나면서 주도권을 쥐게 된 쪽은 녹색인 간색이고, 속으로 빛을 보지 못하고 들어가 숨은 장강은 황색인 치마다.

그렇다면 위장공의 도리가 녹의 황상이 아닌 역의 건곤과 일치하려면 어떻게 해야 할까?

앞의 시에서 황색 윗도리나 황색 치마가 속으로 감추어져 있다면 장강의 현숙하고 어진 건곤(乾坤)의 덕이 위장공에 버림받았음을 의미한다.

따라서 자신이 정부인으로서의 위상을 되찾는 게 세상의 중심인 건곤(乾坤) 하늘의 덕이 회복될 수 있는 것이다.

이처럼 역의 이치는 시에서 표기되는 의상의 개념에도

적용되어 있다.

그래서 성호는 시경 녹의(綠衣) 장을 주역의 개념을 빌려와 이 시의 내용을 해석하고 있다. 물론 성호가 아니라도 옛 문헌에는 의상(衣裳)의 개념을 건곤(乾坤)의 이치로 대신한 표현들이 많다. 주역 계사 하전의 다음 구절도 그렇다.

「(성인이) 의상을 드리우고 있음에 천하가 다스려진다[垂衣裳而天下治].」는 구절이다

무슨 의미일까?

하늘의 상징, 만물을 이롭게하는 건괘(乾卦)와 만물이 생겨나게 하는 땅의 이치를 상징하는 곤괘(坤卦)의 덕이 우리의 의상에 그대로 반영되어 우리의 삶을 꾸미고 지배해야 함을 말한다. 그래서 계사전의 앞에 인용한 문장은 의(衣)와 상(裳)을 드리우매 천하가 다스려지는 것은 대개 건괘(乾卦)와 곤괘(坤卦)에서 취해왔음을 분명히 강조한다.

위에 있는 옷은 만물이 시작하면서 힘을 빌리는 형이상학적인 하늘 건(乾)의 상징이다. 아래에 받쳐 입는 하의는 만물이 생겨나게 하는 형이하학적인 곤괘(坤卦)를 본떴다.

이는 우리의 일상생활에서 위의 머리가 생각을 내어 가고자 하면 아래의 하체가 그 생각을 좇아 따라가는 건(乾)과 곤(坤)의 이치와 그대로 일치한다. 세상의 모든 이치도 하늘이 앞서서 이끌어 베풀고 땅이 뒤따르면서 만물이 생겨난다는 게 역에 나오는 본질적인 시각이다.

○ 격조높은 문장의 상식 위(魏)나라 조식(曹植)

인간의 희노애락, 그것은 누구에게나 갖춰진 우리 마음의 필연적인 경계다.

그러므로 기쁨만을 추구한다고 하여 기쁨만이 주어지는 게 아니고, 슬픔을 피하고 싶다고 해서 누구나 피할 수 있는 경계도 아니다. 동시에 자기 마음의 움직임을 보더라도 표출되는 행위의 선악이 내 의지대로 이루어지는 것도 아니다. 이건 아니지 하면서도 악마처럼 굴 때가 있고, 평소의 행동은 매사에 사기꾼이나 다름이 없는데도 어느 순간은 천사처럼 선량해지기도 한다.

이들은 모두가 마음이 보여주는 변화로서 기신론(起信論)의 표현을 빌리면 자기 안에 형성되어 있는 토대의 차이 때문이다.

예컨대 세상살이의 중심이 자기만을 앞세울 때면 자신과 경쟁하는 대상을 모조리 배척의 대상으로 생각하는 개인주의적인 삶이 된다. 이를 기신론에서는 속제(俗諦)로 표현을 하는데 이와 달리 속제(俗諦)와 짝을 이루는 진제(眞諦)도 있다. 하늘이 땅을 통해 세상 만물에 생명을 불어넣듯 본래 실체가 없음에도 신비롭기 짝이 없는 자기 마음의 묘한 힘을 살려서 살아가는 방법이다.

문장을 구사하고 드러내 보여주는 기능도 이는 추호도

다를 수가 없다.

본래 실체가 없음에도 자기가 맞추고 살아가는 의도로 인해 사악하게 드러나는 경우가 있고, 그렇지 않은 경우도 있다.

다음의 칠보시(七步詩)에 얽힌 내력 역시 이를 잘 보여준다.

지은이는 조식이다.

위나라 시대에 활동했던 조식은 조비와 더불어 모두 조조의 아들이었다.

조조로 보면 조비는 큰아들, 조식은 조비의 동생이었다.

조식은 어려서부터 조비에 비해 재능이 뛰어났다.

열 살 때 시를 읊었으며 사부를 헤아릴 수 없이 지었다. 조조는 그의 글을 볼 때마다 칭찬을 아끼지 않았다.

"이 모두가 정말 누가 대신 써 준 것이 아니고 너의 작품이란 말이냐?"

조식이 꿇어 엎드려 대답하였다.

"입 밖에 나오면 논리가 되고 붓을 들면 문장을 이루는 것을 직접 시험해 보시면 아실 터인데, 어찌 남의 글을 빌리겠습니까?"

당시 업현에 동작대를 새로 건립한 뒤여서 조조는 모든 왕자를 불러다가 각자의 풍월을 읊어보라고 하였다. 조식이 바로 그 자리에서 붓을 들어 시 한 수를 올렸는데 매우 훌륭하였다.

조조는 조식의 재능이 뛰어난 것을 보면서 조비보다도 조식을 더 총애하였다.

조조는 나라의 군주 자리도 조비보다는 조식에게 물려주고 싶어 했다.

조비는 아버지의 사랑을 독차지하면서 나라의 군주 자리마저 넘보는 조식이 못마땅했다.

그래서 조식은 조조가 죽고 나라의 군주 자리에 오른 뒤 조식에게 일곱 걸음 안에 시를 지으라고 명했다. 만약 그렇지 못하면 죽이겠다는 협박이었다.

그것이 유명한 다음의 칠보시(七步詩)다.

콩을 삶아 죽을 쑤려고,
껍질을 걸러내고 콩즙을 짜니,
깍지는 아궁이에서 불타고
콩은 솥에서 울고 있구나.
원래는 한 뿌리에서 태어났는데,
왜 이리 못살게 군단 말인가!
煮豆燃豆萁(자두연두기)
豆在釜中泣(두재부중읍)
本是同根生(본시동근생)
相煎何太急(상전하태급)

그 시를 들은 문제는 부끄러워하는 빛이 역력했다.

조식은 자가 자건(子建)이었다. 당시 천하의 인재가 용량으로 한 섬이라면 이 사람이 여덟 말을 차지했다는 평이 있을 만큼 문장과 식견이 뛰어났다.

그의 뛰어난 문장력과 식견은 뒷날의 격조 높은 문장의 효시로 적용된 예들이 많은데 그 중의 하나가 얼정거리며 노닌다는 뜻의 배회다.

그 구절은 조식이 지은 칠애시(七哀詩)에 바탕을 둔다.

밝은 달이 높은 다락을 비추니,
흐르는 그 빛이 정히 배회하도다.
明月照高樓(명월조고루)
流光正徘徊(유광정배회)

그 시의 주석에 보면 이런 평이 전해 온다.

"글월로 형용할 수 없는 정경을 읊은 시"

라는 문구와

"달 바퀴의 비춤이 걷힐 새 없으니, 남은 빛이 사라지지 않아 마치 서성대는 것 같은 느낌이 있다."

라는 내용이다.

○ 천지의 덕에 맞는 마음의 유희 풍류

성현에 따르면 사람이 악(樂)을 다루는 데는 세 가지가 있다고 본다.

첫째 5음 12률의 근본을 알아서 이것을 활용할 수 있어야 하고,

둘째 절주의 느슨하고 급함을 알아서 악보를 만들어야 하며,

셋째 타고난 기술을 개발하고 연마하여 그 오묘함이 매우 정밀해야 한다.

타고난 기술을 개발하고 연마하여 그 재주를 오묘하게 하고 절주의 느슨하고 급함을 알아서 악보를 만듬은 하나의 술(述)이라고 할 수 있거니와 오음 12율의 근본을 알아서 음악에 이를 활용함은 사람의 생각이 마침내 발 딛고 그 뿌리로 삼아야하는 악의 진정한 근본이다.

그래서 역에서는 땅 위에 우레가 나온 것을 본뜬 게 악(雷地豫)이라고 말하고, 신라의 헌강왕 때부터 시작된 처용무의 기능 역시 초점이 바로 거기에 맞추어져 있었다.

처음 처용무가 시작될 때는 특정한 누군가로 하여금 검은 베옷에 사모와 비단 고깔을 쓰고 춤추게 하였다. 그 뒤 오방 처용이 있게 되었는데 세종 때에 이르러 가사를 정리한 뒤 봉황음이라 일컫고 나라의 정악으로 삼았다.

뒷날 세조가 이를 악으로 함께 연주하게 하였는데 형식은 불교의 영산회상의 불보살을 예찬하는 불공 의식을 본떠 만들었다.

기록에 의하면 절에서 불공을 하면서 기생들이 영산회상불보살을 크게 읊으면서 바깥 뜰을 돌아들어오면 악기를 다루는 사람들이 각자 자기의 악기를 손에 잡는데, 쌍학인(雙鶴人) 오처용(五處容)의 가면을 쓰고 열 사람이 모두 따라 가면서 느리게 세 번 노래하고, 자리에 들어가 점점 소리를 돋구다가 큰 북을 두드리고 악기를 다루는 사람과 기생이 한참 동안 몸을 흔들며 움직인 뒤 멈추면, 이때 연화대 놀이가 시작된다고 했다.

그리고 향산과 지당을 마련하고 주위에 한길이 넘는 높이의 색깔 있는 꽃을 꽂는다. 그 좌우에는 등이 달려 있고 갖가지 장식을 볼 수가 있다. 그 사이를 나타났다 숨었다 하면서 서로 춤을 추는데 이를 동동(動動)이라고 일컬었다. 동동에 이어 쌍학은 물러가고 처용이 들어온다. 처용은 만기를 연주하면 열을 지어 서서 때로 소매를 당기어 춤을 추고, 중기를 연주하면 다섯 처용이 각각 동서남북 중앙의 오방으로 나누어 소매를 떨치고 춤을 춘다. 다음에 촉기를 연주한다. 촉기의 연주가 이루어지면 신방곡에 따라 너울너울 어지러이 춤을 추고 끝으로 북전이 연주된다. 그때 처용은 조용히 물러가 자리로 돌아가 열을 이루어 서게 된다. 봄 여름 가을 겨울에 맞추어 하늘의 운행이 순조롭게 전개되어 나가기를 바라는 역의 이치를 처용무는 그대로 반영해 보여주고 있다. 동시에 그곳의 기생들은 한 사람의 선창에 맞추어 나무아미타불을 크게 따라하면서 무대 위를 빙돌아 나간다.

이를 매양 선달 그믐날 밤이면 창경궁과 창덕궁의 전정으로 나누어 들어가는데 창경궁에서는 기악(妓樂)을 쓰고 창덕궁에서는 기악 대신 가동(歌童)을 세우는 차이점이 있었다.

기록에서는 이와 같은 풍속의 의미를 사귀를 물리치는데 있다고 적고 있다.

사귀를 물리치는 데 뜻이 있던 처용무 놀이, 그 시작은 물론 앞에 말한 것처럼 신라의 헌강왕 때부터다. 조선에 들어와서 다소 형식이 바뀌기는 했어도 고려 때도 이 놀이가 일반화되어 있었을 것은 의심의 여지가 없다.

익재 이재현의 다음과 같은 시를 보면 우리는 그것을 곧 알 수가 있다.

조개 닮은 치아에 붉은 얼굴 춤꾼이 달밤에 노래한다.

솔개인 양 우쭐대는 어깨 짓 붉은 소매 가벼운 놀림 봄바람이 불 듯하네.

貝齒赬顔歌夜月(패치정안가야월)

鳶肩紫袖舞春風(연견자수무춘풍)

단순히 이제현은 처용무의 외형적인 형상에 치중하여 시를 읊고 있다. 그러나 처용무에 등장하는 처용의 사람됨에 대한 기록상의 내용을 살펴보면 그 풍속의 의미가 우리에게 시사하는 바를 쉽게 짐작해 보게 한다.

제49대 헌강왕 때였다. 나라 안에 풍악과 노래가 끊이지 않고 풍우는 사철 순조로웠다. 이에 개운포[지금의 울산]에 나갔다가 동해의 용이 기뻐하며 자신의 일곱 아들과 함께 헌강왕의 덕을 찬양하고 춤을 추며 악을 연주하는 기쁨을 맛보았다. 그리고 그 자리의 한 용왕 아들이 임금을 따라 서울에 와서 나라의 일을 도와 살피고 이름을 처용이라 하였다. 왕은 그를 위해 아름다운 여자로써 아내를 삼아 함께 살도록 하고 급간의 직책을 내렸다. 어느날 처용의 아내가 아름다운 것을 흠모하던 역신이 몰래 처용의 집에 들어와 처용의 아내를 범했다. 처용은 늦게 밖으로부터 집에 돌아와 자리에 두 사람이 누웠음을 보고 다음과 같은 노래를 부르며 춤을 추고 물러났다.

동경 밝은 달에 밤새어 노닐다가
들어와 자리를 보니, 다리가 넷이어라,
둘은 내해인데 둘은 뉘해인고,
본디 내해다마는 뺐겼으니 어찌하리고.

東京明期月良夜入伊遊行如可入良沙寢矣見昆脚烏伊四是良羅 二肹隱吾下於叱古二肹隱誰支下焉古本矣吾下是如馬於

隱奪叱良乙何如爲理古)

그때 잘못을 저지른 역신이 눈앞에 꿇어앉아 말하기를 내가 공의 아내를 사모하여 지금 잘못을 저질렀는데 공이 노하지 아니하니 부끄럽기 짝이 없습니다. 앞으로는 맹세코 공의 형상을 그린 것만 보아도 그 문 안으로 발을 들여 놓는 일조차 없도록 하겠다며 용서를 빌었다.

여기에서 우리는 삼국유사에서 말하는 나라의 태평성세와 우순(雨順) 풍조(風調)의 의미까지 포함해서 곧 처용무의 성격이 어떻게 받아들여지고 있는지를 구체화 시켜서 말해볼 수가 있다. 즉 그 형용만 보고서도 역귀가 놀라지 않을 수 없는 처용의 덕, 그것은 곧 사람들이 추구해야 하는 하늘의 큰 덕이다.

근거는 앞서 소개한 처용의 시에 있다.

그렇기에 그 한 편의 시는 처용무의 성격이 단순한 한 바탕의 광대놀이에 국한되는 풍속이 아니었음을 말해주는 문헌상의 분명한 자료라는 점도 너무나 분명하다.

그런데 마음의 활용 면에서 음미해 보면 앞선 처용의 고사는 진실로 생각해 볼 바가 크다. 세상의 모든 변화를 수용하는 옛사람의 지혜가 그 하나의 설화에 모조리 담겨 있기 때문만은 아니다. 눈앞의 이해관계만이 아닌 하늘과 땅 중심의 덕스러운 마음이 처용이 취하고 있는 하나의 일화 속에는 고스란히 반영되고 있기 때문이다. 하긴 처용에 얽힌 고사뿐만이 아니다.

우리 민족의 음률, 풍속, 정치, 사상, 문화 등 그 모든 것이 하늘의 변화에 초점을 맞춘 천문 중심이다.

예컨대 음률(音律)을 헤아려보면 짐작이 가능하다.

일 년 12달 기운의 변화는 음양(陰陽)의 구분을 떠나서 구별이 가능하다.

이를 우리의 조상들은 오음(五音) 12율려(律呂)로 나누어 일상의 감흥을 풀어내는 데 활용해 왔다.

먼저 기준이 되는 음계는 일양(一陽)이 처음 생겨나는 동지의 바람 소리를 본뜬 황종(黃鍾)이었다. 다음에는 그와 짝을 이루는 자리의 음계다. 절기의 변화로는 하지를 지나 일음(一陰)이 싹트기 시작하는 무렵의 바람 소리를 본뜬 임종(林鍾)이다.

이를 전체 12마디의 월별 바람 소리로 구분했을 때 생겨나는 음률(音律)의 체계가 바로 6률(律) 6여(呂)의 12율려(律呂)였다.

그것도 십진법의 체계를 엄격하게 구분한 삼천양지(參天兩地)의 변화 법칙이 그 안에는 고스란히 반영되어 있다.

그래서 소강절은 이를 주역의 체계로 다음과 같이 음미해 보게 하고 있다.

제목은 동지음(冬至吟)이다.

동지음 冬至吟

소 강절(邵康節)

동짓날 밤 자시에는
천심은 움직여 옮김이 없으나
일양(一陽)이 처음 움직이는 때나
만물이 아직 생겨나지는 않았으니
물맛은 바야흐로 담담하고
대음(大音)은 희미해 들리지 않네
만약 이 말을 믿지 못하겠거든
청컨대 포희씨에게 다시 물어 보시길
冬至子之半(동지자지반)
天心無改移(천심무개이)
一陽初動處(일양초동처)
萬物未生時(만물미생시)
玄酒味方淡(현주미방담)
大音聲正希(대음성정희)
此言如不信(차언여불신)
請更問庖羲(창겡문포희)

인생은 어떻게 살아도 한 편의 시와 같다.

사랑을 노래할 수도 있고, 구름이 되어 떠돌아야 할 때도 있으며, 이상에 취해 현실을 도외시할 수도 있다. 어느 삶을 살아가건 자기대로 뜻있는 삶을 살아가고 있다면 그것은 축복이다. 아니다, 그렇게 말해선 안 된다. 뜻있는 삶을 살고 있지 못하더라도 주어진 생애는 누구에게나 축복이다. 왜냐하면 세상을 살아가는 우리 마음의 신비로운 작용은 다만 그렇게 표출되어 나타날 뿐 그 순간의 직면한 상황에 옭아매이는 일은 결코 없기 때문이다.

따라서 이런 이치를 깨달은 사람은 더러 상식적인 세계의 이해관계에 초연한 모습을 보이게 될 때가 있다. 아마 그런 유형의 표본을 꼽아본다면 조선 시대 중종조의 최수성도 그 안에 들 수 있을 것이다.

문헌상의 기록에 의하면 그의 타고난 재능은 조선조의 삼절(三絶) 못지 않았다. 여기서 말하는 삼절이란 세 가지의 빼어난 재주를 가진 사람을 일컫는 표현이었다. 그 중에서도 안견 최경 그리고 강희안이 대표적이다. 그들은 시 서예 그림에 능한 조선 시대의 유명한 삼절이다. 그러나 그들만큼의 경지에 미치지 못할 수도 있었겠지만 최수성은 실제로 그들 못지 않은 재주꾼이었다. 후대의 사가들이 평가하기를 그는 시가 당대의 어떤 문사 못지않게 표일하고, 서예와 그림은 물론 음률에도 능했다.

특히 그의 시는 표연히 속세를 떠난 듯한 느낌을 주고 또 실제의 삶도 인간 세상에 벼슬할 뜻을 두지 않고 살면서 뭇 사람들과 달리 행동하기를 힘쓴 당대에 보기 드문 훌륭한 선비였다는 게 기묘록 상의 평이다.

그래서였을까? 충암은 일찍이 그의 시를 사랑하여 가까이하면서 후세에 영원히 이름을 남길 사람은 이 사람이라고 칭송했다.

그는 조정에 난이 있고부터 산골 절로 떠돌며 놀았는데 가는 곳마다 소나무로 거문고를 만들어 타다가 연주가 끝나면 버리고 떠나 어느 한 장소에 머물러 살지도 않는 모습의 분방함을 보여주었다. 이에 공은 그의 이런 심정을 시로써 읊겨 적었다.

○ 넉넉한 마음의 활용 천지자연의 덕

새는 무너진 집의 구멍을 엿보고
사람은 석양에 물을 긷도다.
산수를 집으로 떠도는 신세
하늘 땅 어느 곳에 끝을 삼으리
鳥窺頹院穴(조규퇴원혈)
人汲夕陽泉(인급석양천)
山水爲家客(산수위가객)
乾坤何處邊(건곤하처변)
이라고 읊었다.

시의 분위기로는 얼핏 처량하면서도 답답한 감이 없지 않다. 기묘사화를 경험한 공의 북받쳐 오르는 울분 탓이었을까? 아니면 그런 사화를 개입시킨 뒷사람의 편견일까?

다만 숙부 최세절을 상대하는 권유문에는 그런 심정이 노골적으로 드러난 바가 분명하다.

세상 일은 이러하고 운신조차 곤란하니
굳이 벼슬하여 무엇을 구하시겠습니까
산수 간에 물러나 숨어 지냄만 못하리니
그로써 남은 생애나마 보존하시기를
世事如此(세사여차)
困於卯申(곤어묘신)
强仕何求(강사하구)
不如隱臥湖山(불여은와호산)
以保餘年(이보여년)

라고 하였다.

또 공은 시를 지어 보내기를

날 저문 창강 위에
하늘은 차갑고 물은 저절로 파도가 이네
외로운 배 한 척 서둘러 닻 내릴지니
밤이 되면 응당 풍랑이 높으리라.

日暮滄江上(일모창강상)
天寒水自波(천하수자파)
孤舟宜早泊(고주의조박)
風浪夜應多(풍랑야응다)

공은 앞날의 참화를 짐짓 내다보고 있었음일까?

세절은 신사년에 승지의 몸으로 일을 당해서야 그때의 기억을 비로소 떠올렸다. 그리고 자신에 대한 수성의 옛적 충고를 동료들 앞에서 들려주며 그 시를 함께 음미했다. 그러나 그게 공에게는 화근으로 미쳤다. 그 일로 남곤 일파가 공을 죄인으로 몰았고 끝내 죽음을 면하지 못했다. 그때 역적의 몸으로 몰려 죽은 그의 시체를 거두어 준 이는 다름 아닌 그의 놀이 친구 이달형 등이었다.

장사라야 기껏 발로 시체를 염하여 빈 산골에 임시로 묻어주는 정도였지만 당시 상황으로는 그나마 쉽지 않았다. 공은 당대에 이름을 떨치던 시인의 명성에 걸맞게 밤에 이달형의 꿈에 나타나서 그 고마움을 다음과 같은 한 수의 시로 표시하였다.

적막한 내 무덤을 뉘라서 찾으련가
조촐한 원숭이나 홀로 벗하리
발에 싸여 골짜기에 묻힌 뒤
멀리 생각하기는 시체를 돌봐준 그 사람뿐이노라.

玄室誰相訪(현실수상방)
淸猿獨可親(청원독가친)
自從簾谷後(자종렴곡후)
遙憶盖骸人(요억개해인)

과연 죽어서까지, 북해거사 경포산인 등으로 통하며 학문과 도의를 강구하던 당대의 대유(大儒)다운 그의 행적이다. 이렇듯 호방했던 그의 생애는 여지껏 전해오는 갖가지 화제들이 많다.

그중의 하나가 김정의 집을 방문했을 적 남곤을 기롱한 일일 것이다.

마침 남곤은 산수도 한 폭을 김정에게 보내어 화제를 요구했는데 공이 거기에서 이를 보고 대신 필묵을 잡았다.

떨어지는 해는 서산으로 잠기고
외로운 연기는 먼 숲에서 일도다.
복건을 쓴 서너 사람
누가 이 망천[2]의 주인인가
落日下西山(낙일하서산)
孤烟生遠樹(고연생원수)

---

2)강 이름 중국 섬서성 藍田縣에 있음 당대 시인 왕유의 별장이 있던 곳 산수가 좋기로 이름이 났음

幅巾三四人(복건삼사인)
誰是輞川主(수시망천주)

라고 읊었다.

이 시는 후에 남곤에 의해 원한을 깊이 품게 된 시로 전해오는데 그 이유는 남곤이 백악 기슭에 지었다는 한 채의 정자와 관련이 있기 때문이다.

남곤에겐 백악 기슭에 지어 놓은 정자가 하나 있었다. 그 북쪽 동산의 산수가 빼어나게 좋았다. 그래서 그곳으로 매양 취헌(翠軒) 박은(朴誾)이 용재(容齋) 이행(李荇)과 함께 술을 가지고 와서 놀았는데 지정은 승지로서 새벽에 궐로 들어갔다가 밤에야 돌아오는 까닭에 한 번도 함께 어울리지 못했다.

그러자 취헌은 희롱으로 그곳의 바위를 대은(大隱)이라 하고 정자 앞의 여울을 만리(萬里)라 불렀는데 그 까닭이 남곤의 일상적인 부재와 관련이 있었다. 곧 바위는 주인의 아는 바가 될 수 없고 여울은 가깝되 만리(萬里)만큼이나 먼 곳에 있는 듯하다 하여 그렇게 이름을 붙인 것이다. 그러다가 뒷날 술에 만취가 되어서는 바윗돌에 시를 지어 새기기를

주인의 벼슬은 높고 세력이 불같으니
수레를 탄 벼슬아치 문 앞에 가득하네
삼 년을 하루같이 동산을 돌보지 않으니

응당 산신령이 있다면 꾸짖음을 못 면하리.

主人官高勢薰灼(주인관고세훈작)

問前車馬多伺候(문전거마다사후)

三年一日不窺園(삼년일일불규원)

倘有山靈應受詬(당유산령응수후)

라는 시의 화제(畵題)를 떠오르게 하는 시상 때문이다.

남곤으로서야 마음이 불편하게 되어 있는 내용이었다.

떨어지는 해, 연기 피어오르는 쓸쓸함, 그것은 다름 아닌 자기 자신의 불길한 말년에 빗댄 희롱임을 모르지 않았을 터이므로. 그러나 공은 그만한 정도의 서슬 퍼런 세도 따위에 아랑곳할 인물이 아니었다. 그리고 그의 이런 기질은 당대의 실력자 조광조 일파를 대하는 자리에서도 유감없이 드러난다.

공이 어느 날 김식을 찾았을 때의 일이다. 그가 집안에 들어서자 마침 거기에는 조광조 김정 김구 등이 먼저 와 함께 이야기를 나누고 있었다. 공은 그들을 바라보고서도 아무런 안부 인사 한마디 건네지 않고 한참을 있다가 김식에게 급히 술을 청했다. 이에 김식이 술을 건네자 공은 거침없이 한잔 받아 마신 뒤 입을 열었다.

"내가 파선하는 배에 탔다가 거의 빠져 죽을 뻔하였다. 그래서 마음이 심하게 두렵고 떨리더니 술을 마시고야 비로소 살 것 같다."

하면서 그는 역시 올 때와 마찬가지로 좌중을 향한 인사

한마디 없이 그대로 돌아서 버렸다. 사람들은 어리둥절할 수밖에. 다만 조광조만이 그 뜻을 알아채고
“파선하는 배란 우리에게 하는 말이니 여러분은 그 까닭을 알지 못할 것”
이라 했다고 전해진다.

마음이 내키는대로 살아가는 삶, 그것은 장점일까? 단점일까?

아무런 탈 없이 무난한 삶을 추구한다면 그에 맞는 유형의 틀을 자기 마음에 갖추게 될 것이다. 그러나 자기 안에 품고 있는 어떤 원칙이나 뜻이 중요하게 여기는 이라면 주변과 생겨나는 불화 따위는 크게 개의치 않을 것이다. 어떤 삶이 우리에게 정답인지는 알 수가 없다.

다만 마음이 보여주는 이 같은 다양성을 고려하면 되짚어보아야 할 부분이 있다. 어느 상황에서건 자신의 선택은 항상 옳다고 여기게 되어 있는 우리 마음의 신비로운 움직임 부분이다.

그리고 그런 움직임이 각기 다른 마음의 눈으로 문자를 빌려 표현하는 까닭에 세상에 유행하는 시의 내용이나 유형 또한 다양한 방식으로 드러나기 마련이다. 그 가운데서도 우리 마음의 작용이 보여주는 특이한 유형의 하나라면 꿈과 관련된 내용의 시구일 것이다.

대표적인 예로는 다음에 소개하는 김종직(金宗直)의 조

의제문(弔義帝文)이 있다.

○ 신비로운 마음의 작용에 의존한 세상살이의 꿈과 인생

정축년 10월 어느 날이었다. 내가 밀성(密城; 현 密陽)으로부터 경산(京山; 현 星州)에 가는 길에 답계역(踏溪驛)에서 잠을 자게 되었는데 꿈에 어떤 신인(神人)이 칠장복(七章服)을 입고 훤칠한 모습으로 와서 하는 말이 있었다.

"나는 초회왕(楚懷王)의 손자 심(心)인데 서초패왕(西楚霸王) 항우의 손에 시해되어 침강(침江)에 던져진 사람이다."
라 하고는 사라져 버렸다.

꿈에서 깨어 놀라 생각해보니 생겨나는 마음이 괴어 쩍었다.

'회왕은 남방 초나라 사람이고 나는 동이(東夷)의 사람이다. 땅이 서로 만리나 떨어져 있고 시대가 또한 천여년이나 떨어져 있는데 내 꿈에 나타나는 것은 무슨 징조일까. 또 역사를 상고해 봐도 강물에 던져졌다는 말은 없는데 혹시 황우가 사람을 시켜 몰래 시해하여 시체를 물

속에 던진 것인지 이 또한 알 수 없는 일이다'
나는 그런 생각을 하며 마침내 글을 지어 그를 슬퍼하였다.

하늘이 만물의 법칙을 마련하여 주셨으니
누가 사대와 오상을 높일 줄 모르리
중국이라 넉넉하고 동이족이라 모자란 것 아니거늘
어찌 옛날에만 있었고 지금은 없겠는가
그러기에 나는 동이족으로 천년 뒤에 태어나서
삼가 초나라 회왕께 조문을 드리네
옛날 진시황이 병사를 몰아서
사해의 물결이 핏빛으로 변했네
비록 볼품없는 생명체라도 살아날 수 있을까
그물을 벗어나기 급급했도다.
당시 여섯 나라의 후손들은
숨고 도망가서 겨우 평민들과 짝이 되었네
항량은 남쪽 나라의 장종으로
진승과 오광을 뒤따라 일어났다네
왕위를 얻고 백성들의 소망을 따르려 함이여
끊어졌던 웅역의 제사를 보존했네
천자가 될 상서를 잡고 임금자리에 오름이여
이 세상에는 미씨보다 존귀한 이 없었다네
장자를 보내어 광중에 들어가게 함이여

인의의 마음을 알고도 남는다네
흉악한 무리들이 관군을 마음대로 죽임이여
어찌 잡아다가 제부에 기름칠 아니했는고
아! 형세가 그렇지 못함이여
내가 왕을 생각하니 더욱 두렵네
도리어 시해를 당했으니
정말로 천운이 어긋난 것이네
침산이 우뚝하여 하늘을 찌를 듯
해는 니웃니웃 저물어 가는데
침의 강물이 밤낮으로 흘러 흘러
넘실거리는 물결은 돌아올 줄 모르네
이 천지가 다하도록 그 원한 다할까
넋은 지금도 구천을 맴도시는데
내 마음 금석을 꿰뚫음이여
임금께서 갑자기 꿈속에 나타나셨네
주자의 사필을 본받아
설레는 마음으로 경건히 사뢰며
술잔을 들어 강신제를 드리나니
영혼이시여 흠향하시옵소서

출전은 〈점필재집〉이다.

꿈을 통해 드러나는 마음의 신비한 작용으로는 강희안의 사례도 있다.

세종 때에 과거에 올라 벼슬이 인순부윤에 이른 그는 48세의 나이로 세상을 떴다.

하루는 그가 꿈을 꾸는데 "자신의 임종을 내다보게 하는 내용이었다.

여러 선비들은 관청에 자리를 잡고 가지런히 앉아 있고 남아 있는 빈자리가 하나 그의 눈에 띄었다. 희안이 그것을 보고 아랫사람들에게 묻기를 누구의 자리냐고 했다. 그러자 상대방이 대답하여 말하기를 '여기 앉을 사람은 다른 곳으로 갔는데 금년에 돌아옵니다.' 라고 하였다. 그래서 희안이 그 자리의 명패를 유심히 들여다보았는데 그것은 곧 다름 아닌 강희안 그 자신의 이름이었다. 희안은 그 길로 자신이 머잖아 죽게 될 것이라고 말했고 과연 그는 그 해에 세상을 떠났다.

강희안의 행장에 실려 있는 글의 내용이다.

그렇지만 강희안뿐일까? 예지몽 비슷한 꿈의 일화로는 어변갑의 사례도 있다. 효행 편에도 실려 있는 어변갑(魚變甲)이 과거에 급제하던 때의 이야기다. 대제학 정이오가 고시관이 되어 시험장에 들었다. 그는 꿈에 짓게 된 시 한 수가 있었다. 내용은 다음과 같았다.

세 번의 바람과 천둥으로 고기는 갑 있는 것으로 변하고[魚變甲]

한 봄의 아지랑이 자욱한 풍경에 말은 드물게 소리를 질러 대네[馬希聲]
비록 댓구를 이뤄야 서로가 원래 걸맞다고 말하지만
어찌 용문에 이름을 윗자리에 의탁하게 될 줄이야.
三級風雷魚變甲(삼급풍뢰어변갑)
一春烟景馬希聲(일춘연경마희성)
雖云對偶元相敵(수운대우원상적)
那及龍門上客名(나급용문상객명)

시에 나타나 있듯이 언급되는 인물이 두 사람이다.
고기는 갑 있는 것으로 변한다는 문구의 어변갑(魚變甲)과 말은 드물게 소리를 질러댄다는 마희성(馬希聲)이다. 그는 그날 과거에 급제한 인물이었는데 꿈속에서 그 이름을 알게 되었다는 게 이상한 일이었다. 뒤의 마희성이 중국 오대 때의 강서 지방에 큰 세력을 가졌던 사람의 성명이므로 그와 짝을 이루는 쪽에서 과거 급제를 예견하는 예지몽 성격이 짙었지만 정이오가 평소에 당사자를 알고 있는 것도 아니었다.
그는 꿈을 꾸고나서 앞 구와 뒷 구가 각각 사람의 이름으로서 짝을 이루어야 하는 시구의 특성상 그날의 과거 시험에 어변갑이 급제하리라는 짐작을 하고 있었다. 과연 정이오의 선몽대로 어변갑은 그날의 과거 시험에 급제를 했고, 벼슬이 집현전의 직제학에까지 이르렀으나 늙은 어

머니를 봉양하고자 이내 관직을 버리고 고향인 함안으로 돌아갔다

알 수 없는 우리 마음의 신비로운 능력이다.

계속되는 고사는 이긍익의 일화다. 연려실기술의 편저자였던 그는 영조 12년 서기 1736년에 출생하여 순조 6년 서기 1806년에 71세로 생을 마쳤다.

그의 자는 장경 장경(長卿) 본관은 전주로 우리나라의 문예부흥기라고 할 수 있는 영 정조 시대의 학자이니 그의 대표적인 편저 본의 제목인 연려실은 그 자신의 호다. 그의 부친은 근세 문필가로 유명한 원교(圓嶠) 이광사였다. 원교는 비단 문필에서 뿐만이 아니라 문장으로도 뛰어난 면모를 보여주고 있는데 당색이 소론에 속해 있던 그의 정치적인 행로는 끝이 비참했다. 소론파의 강경분자인 그의 백부 이진유가 영조 6년에 역모죄로 몰리면서 원교도 거기에 연루되었기 때문이다. 그는 결국 20여 년간의 귀양살이를 하게 되는데 이는 그 당시에 진행되던 노론과 소론의 당파 싸움에서 그가 속해 있던 소론 일파가 결국 정치적안 실각을 당했음을 의미하는 일이다. 그리고 이와 같은 원교의 행적은 그의 아들 이긍익에게도 어쩔 수 없이 영향을 미치는데 이긍익이 처음부터 벼슬길을 단념하고 오로지 학문에만 힘을 쓰며 살아가게 된 직접적인 이유의 하나였다.

그는 여러 분야의 학문적인 내용 중에서도 특히 국사에

관심이 깊었다. 그는 널리 사서를 섭렵하며 느끼는 불만이 종래의 야사류가 너무도 산만하여 체계를 갖추고 있지 못하다는 점이었다.

이에 그는 조선 태조 이래 각 왕대의 중요한 사건을 기사본말체 방식에 의하여 편찬하되 조금도 자기의 견해나 비평을 가하지 않고 여러 사서에서 관계 기사를 뽑아내어 기입하는 동시에 일일이 출처를 밝혀 엮는 보다 진보된 방식을 선택하였다. 이는 조야기문과 함께 기사본말체 방식으로 엮어진 대표적인 형식의 역사서로서 야사치고는 그 형식이 객관적이고 체계가 잘 잡혀 있어서 후대에까지 유포가 광범위하게 이루어지기에 이르렀다.

참고로 종래에 유포되어오는 우리나라의 역사서들을 기술 양식으로 살펴보면,

사료를 연대순으로 기재하는 편년체(編年體)

연대순으로 그 내용을 엮되 강령(綱領)을 내세우고 거기에 구체적인 기사를 실은 편년 강목체(編年綱目體)

인물 중심의 전기체(傳記體)

기문이담(奇聞異談)식의 반설화체(半說話體) 등으로 이병도는 분류한다.

그는 이 책에 자부심이 매우 남달랐다.

우리 동방의 야사류는 큰질로 엮어진 것이 많다. 그러나 대동야승 소대수언 같은 것은 여러 사람들이 지은 책을 모으기만 하였기 때문에 설부와 같아서 산만하여 계통

이 없고 또 말이 중복된 것이 많아 열람 상고하기가 어렵고 춘파 일월록 조야첨재 같은 것은 편년체를 썼는데 자료수집을 다하지 않고 빨리 책을 만들어 내었으므로 상세한 데는 지나치게 상세하고 소루한데는 너무 소루하여 조리가 서지 아니하였으며 청야만집은 사실에는 상세하지 아니하고 다른 문집에 있는 역사 인물에 관한 논평을 많이 실었기 때문에 그 끝[논평]만 추켜들고 근본을 빠트리는 것이 많았다. 지금 내가 편찬한 연려실기술은 널리 여러 야사를 채택하여 모아 대략 기사본말체에 좇아서 자료를 얻는대로 분류 기록하여 다음에 계속 보태 넣기에 편리하도록 하였다. 내가 자료를 얻어보지 못하여 미처 기록에 넣지 못한 것이 있는 것은 후일에 보는 이가 자료를 얻는 대로 보충하여 완전한 글을 만드는 것이 무방할 것이다. 실제로 그의 편저 본 연려실기술은 원 별집의 전사본이 생존시로부터 유포되기 시작하여 그 수효가 한 둘이 아닌데 이렇다하게 정본이라고 할만한 게 없이 전해져 내려왔다는 특징을 가지고 있다. 이는 그 자신이 앞의 범례에서 밝힌 것처럼 책의 본문에 여백을 두어 수시로 새로운 사료를 찾아내는 대로 기입 보충하는 방침을 취하였을 뿐 아니라 다른 사람에게도 이 책에 대해 그렇게 보충케하여 전체적인 완결을 꾀하도록 배려한 편집상의 이유 때문이었다.

대신 그는 이 책을 정리하면서 세상에 널리 유포되기를

바라는 정본을 미처 완성하지 못하고 죽음을 맞이하지 않을까 하는 염려를 하기도 하는데 그만큼 그는 자기 자신의 이 작업에 대한 열의와 자부가 대단했음을 엿보게 하는 부분이다. 그리고 그는 자신의 그와 같은 노력이 비단 한순간의 우연에 의한 것이 아닌 자기 인생의 타고난 운명의 결과로 받아들이고 있었음을 토로하는데 그게 초야잠필(草野簪筆)이로 요약되는 그의 꿈 이야기이다.

그가 열세 살 때의 일이었다. 선군을 모시고 잠을 자는데 꿈에 임금이 거동을 했다. 마침 공익은 여러 명의 아이들과 길가에서 그 행차를 바라보고 있었다. 그런데 임금이 갑자기 연을 멈추게 하고 공익을 지목하며 가까이 다가오도록 하였다. 그리고 묻는 말이 "시를 지을 줄 아느냐" 였다.

공익은 지을 줄 안다고 대답을 했다.

그러자 임금이 지어 올리라고 했다.

공익은 운을 달라고 했다. 임금은 친히 사(斜)·과(過)·화(花) 석 자를 넣어서 지으라 하였다. 잠깐 시를 생각하는데 임금이 다시 시가 되었느냐고 물었다. 공익은 대답하기를 "시를 겨우 얽기는 하였지만 그 중에 두 자가 마무리되지 않아서 감히 아뢰지 못하겠다" 고 대답했다. 임금이 상관하지 말고 말해보라고 했다. 이에 공익은 지어진 시를 이렇게 전해 올렸다.

맑은 티끌에 비가 뿌리는데 연(輦)길이 비꼈으니
도성 사람들이 육룡이 지난다 하네.
미천한 신하가 초야에 오히려 붓을 가졌으니
잠필(簪筆) 학사의 꽃을 부러워하지 아니하네
雨泊淸塵輦路斜(우박청진연로사)
都人傳說六龍過(도인전설육룡과)
微臣草野猶簪筆(미신초야유잠필)
不羨○○學士花(불선○○학사화)
라는 내용의 시였다.

이를 듣고 난 임금은 네가 놓지 못한 두자는 배란(陪鑾) 두 자를 넣는다면 좋겠다. 하는 것이었다.

꿈이었다. 공익은 놀라 깨어 선군에게 그 꿈 이야기를 말씀드렸다. 선군은 이는 길몽이라고 했고 공익의 생각에도 그것은 길몽이어서 훗날 어전에서 붓을 가지고 살아갈 징조가 아닌가 하는 생각을 가졌다.

그러나 공익의 삶은 벼슬길과 거리가 멀었고 그 꿈 역시 그가 궁하게 살면서 까맣게 잊어 버렸다. 훗날 연려실기술을 편집해 마치고서야 공익은 그 꿈을 새삼스럽게 다시 생각해냈다. 그리고 그 꿈에서 읊었던 초야잠필(草野簪筆)의 글귀는 다름 아닌 자기 자신이 늙어 초야에 묻혀 궁하게 살면서 야사를 편집하게 될 것이라는 예언이 아니었나 회상해 보는 계기가 있었다. 그렇다면 그의 인생은 과연 그의 꿈 그대로였을까 아니면 공익의 연려실기술에 대한 집착과 애정이 불러온 마음의 신비로운 작용 탓이었을까? 우리는 연려실기술의 역사적인 가치에 주목하면서도 그 점에 대한 음미까지 곁들여졌으면 한다.

○ 맑은 기운으로 감응하는 세상살이의 이치

시의 내용이나 능력의 우월성 여부를 떠나서 시를 통한 인간 삶의 또 다른 의미는 정신적인 감응을 확인해 볼 수 있다는 점일 것이다.

사례는 고순(高淳)이다.

고생(高生) 순(淳)의 자(字)는 희지(熙之)다.

그는 한때 귀머거리 증세가 있었으나 학문에 대한 독실함으로 이를 극복하였다. 하루는 시를 읊다가 잠자리에 들었다. 그는 그날 밤 꿈에 돌아가신 아버지가 나타나 들려주는 이런 시 한 수를 들었다.

"백발이 성성하여 옛 모습 줄어지고,

외로운 몸 쓸쓸히 산턱을 지키네

백골이 아무런 감응이 없다고 말하지 말라.

네 시 읊는 소리에 나는 잠 못 들어 하노라.

華髮蒼蒼減昔年(화발창창감석년)

孤身寂寂守山前(고신적적수산전)

莫言白骨無知感(막언백골무지감)

聞汝吟詩我不眠(문여음시아불면)

이 시에 관한 전말은 추강냉화에 실려 있다.

추강냉화는 남효온의 수필집 이름이다. 추강은 그의 호다. 추강은 앞의 시에 머리말을 붙였는데 그 내용은 대략 다음과 같다.

「천지에 있는 하나의 기운이 와서 펴졌다가 그것이 또 흩어져 되돌아가는 것이니 사실은 하나이다. 따라서 사람이 죽은 여기(餘氣)가 각기 자손의 몸에 분산해 있으면서, 그것이 자손에게 움직이면 신명에 소소히 감응되는 것이다. 그렇더라도 사람이 반드시 곧고 오직 맑아서 슬프게 부모를 다시 보는 것과 같이 한 연후에야 부모의 혼령이 하늘에서 오르내려 늘 좌우에 있게 되는 것이니, 고희지 같은 이는 이른바 오직 맑은 이라 할 것이다.」

라고 하였다.

우리 마음의 묘한 작용을 실체를 알 수 없는 기의 작용과 결부시킨 성리학적 추론의 당연한 시각이다.

추강의 이런 유추가 아니라도 그렇게 여겨볼 수 있는 사례는 서하 임춘의 문집을 통해서도 찾아볼 수가 있다.

○ 꿈과 관련된 또 하나의 고사 서하(西河) 임춘(林椿)의 서하집(西河集)

서하(西河) 임춘(林椿)의 자(字)는 기지(耆之)다.

그는 고려 시대 학사(學士)였던 임종비의 조카였다.

그는 생전에 문집 6권을 남겼는데, 처음부터 세간에 전해져오지는 않았다. 그가 죽고 난 뒤 한참이 지나고서야 발견이 되면서 한때 세간의 화제가 되었던 책이다.

오랫동안 사람들로부터 잊혀져 있던 그의 문집이 발견된 것은 지금의 비구니 전문 승가대학이 위치한 청도 운문사의 사문 인담(印淡)의 꿈 때문이었다. 인담(印淡)은 꿈에 어떤 도사를 만나 서하집을 알게 되었다.

꿈속의 그 도사는 손으로 어느 곳을 가리키면서 그곳을 파보도록 당부했다. 그러면서 하나의 기특한 보배를 얻을 수 있게 될 것이라고 알려주었다.

꿈에서 깨어난 인담(印淡)은 도사가 가르쳐 준 곳을 찾아가 땅을 파 보았다.

과연 그곳에서는 하나의 동탑(銅塔)이 나오고 그 탑 속에 구리로 만든 항아리가 있었다. 인담(印淡)은 그 항아리 속을 열람해 보았다. 도사가 꿈속에 알려준 임춘(林椿)의 서하집 6권이 세상에 얼굴을 내미는 순간이었다.

기묘하게도 소장자는 발굴자의 법명과 앞뒤 글자가 서로 뒤바뀌어 있는 담인(淡印)이었다.

이해되지 않는 사건의 연속이었다. 이 우연, 이 일화를 우리는 어떻게 받아들여야 할까? 남효온이 말하는 기의 묘한 감응이 아니라면 진실로 납득하기 어려운 묘한 일화다. 마음으로 통하는 하늘의 어떤 기운? 아무튼 이성으로는 납득할 수 없는 세상살이의 묘한 흐름이다. 그러므로 우리는 본래 실체가 없는 마음의 신비로운 힘에 의지하는 삶을 살아갈 수밖에.

인담(印淡)의 꿈을 빌려 발견된 서하집(西河集)의 서문은 작성자가 이인로였다.

그곳에서 이인로는

“의왕 말년에 온 집안이 화를 입을 때 홑몸으로 겨우 현장을 벗어나 강의 남쪽으로 잠시 피신했다가, 여러 해 뒤에 서울로 돌아와서 항상 삼분의 치욕을 씻으려고 생각하더니, 마침내 일명(一名)도 성취하지 못하였다. 대신 그의 뛰어난 시문은 세상에 널리 알려져 해동에서 포의(布衣)로 세상을 주름잡은 이는 바로 이 한 사람뿐이다.”

라고 하였다.

그곳에 실린 서하(西河) 임춘(林椿)의 시(詩)를 두고 이규보(李奎報)는 역시 같은 장르의 시로서 다음과 같은 소감을 남긴다.

한 가지 계수나무 비록 나누지는 못했지만

백수의 청아한 시는 명성 얻기 합당하다

꽃다운 넋 이제 어느 곳에 있다 하더라도.

아이들도 아직껏 그대 이름 이해하여 말하고 있다네.

一枝丹桂雖無分(일지단계수무분)

百首淸詩合有聲(백수청시합유성)
英魄如今何處在(영백여금하처재)
兒童猶解說君名(아동유해설군명)

그러나 성호 이익은 서하(西河)의 시격(詩格)이 그다지 고상하지 못하고 말의 구조도 치밀하지 못하니, 한때의 운사에 지나지 않았을 뿐, 영원한 세대에 전하여 기억할 만한 불후의 명작은 못 된다고 하였다.

그의 시 가운데 다음에 소개하는 내용은 연지(演之)에게 준 시다.

연지에게 주다(贈演之) - 임춘(林椿)

허전한 누대에 이는 바람 천금의 값어치
정원에 황량함 가득하나 푸른 나무 깊다.
서쪽 하늘에 쇠잔한 달 지는 줄 모르고
밤새도록 풀벌레와 함께 벗 삼아 읊는다.
風生虛閣抵千金(풍생허각저천금)
滿院荒凉碧樹深(만원황량벽수심)
不覺天西殘月落(불각천서잔월낙)
終宵空伴草蟲吟(종소공반초충음)

임춘(林椿)은 고려 후기에 시와 술을 즐기며 마땅한 이치를 즐겨 논한다는 강좌칠현(江左七賢)의 한 사람이었다.

당시 강좌칠현(江左七賢)이라고 하면 이인로(李仁老)·오세재(吳世才)·임춘(林椿)·조통(趙通)·황보항(皇甫抗)·함순(咸淳)·이담지(李湛之)였다. 그들은 중국 진(晉)나라 때의 죽림칠현(竹林七賢)에 빗댄 표현으로 1170년(의종 24) 정중부(鄭仲夫)의 난이 일어난 이후, 문인들이 강호로 몸을 피해 시와 술을 벗 삼아 인생을 보내면서 가까이 어울리게 된 것이 하나의 계기였다.

그가 지은 가전체설화(假傳體說話) 가운데는 국순전(麴醇傳)도 있다. 내용이 술을 의인화(擬人化)하여 풍자한 교훈체 작품으로 술로 인생을 소모하면서 몸을 음욕(淫慾)에 빠져들게 하여 결국 패망에 이른다는 과정을 보여줌으로써 사람을 경계하는 내용이다. 그의 이 작품은 조선 전기의 소설에 큰 영향을 끼쳤다. 수록되어 있는 문헌은 동문선(東文選)이다.

참고로 그가 지은 국순전(麴醇傳)의 내용을 소개하면 다음과 같이 요약된다.

순의 90대 할아버지 모(牟)가 후직을 도와 공로가 많고 청렴하므로 중산후에 봉해졌고 국씨 성까지 받았다. 그의 5세손은 강왕 때 금고(禁錮)되었고, 위나라 때 순의 아버지 주(酎)가 출세하였다가 진이 어지러워지매 벼슬을 버리고 죽림에서 놀았다. 순은 도량이 넓고 풍류가 있어 국

처사라는 칭호와 신임을 얻어 국가의 중대사에 필수적인 존재가 되었지만, 왕의 마음을 혼미케 하여 예법(禮法) 지사의 지탄을 받았다. 또 왕의 보호 아래 돈을 거둬 함부로 써서 비난을 받다가 벼슬에서 물러나서 죽었다는 이야기다.

내용의 객관적인 평가를 떠나서 세상에 기여하는 쪽으로 활용된 우리 마음의 긍정적인 역할을 다시 떠올려 보게 하는 한편의 문장임은 분명하다.

○ 꿈 이야기에 얽힌 정소종의 사례

정소종이 젊었을 때였다. 꿈에 한 노인이 손바닥에다,

우임금 발자취 있는 산천 밖이요
우 나라 뜨락의 새와 짐승이다
禹跡山川外(우적산천외)
虞庭鳥獸間(우정조수간)

라는 시귀를 적었다.

소종은 그 시를 기억하여 두고 잊지 않았다.

연산군 갑자년(1504년)겨울에 특별히 전시를 보이는데, 칠언율시로 그 형식을 정했다.

그 글제는, '봄에 이원(梨園)을 개방하고 한가롭게 기악(妓樂)을 즐긴다.' 였다.

이는 연산이 직접 낸 글제로, 소종은 그 제목을 대하자 홀연 젊었을 때 꿈에 본 노인의 시구가 떠올랐다. 그는 거기에 앞머리 두 자씩을 보태어 글귀를 지었다.

봄은 우임금의 발자취가 있는 산천 밖에 무르녹았고,

풍악은 우나라 뜨락의 새와 짐승 사이에 울린다.

春濃禹跡山川外(춘농우적산천외)

樂奏虞庭鳥獸間(춘농우적산천외)

그때 모재 김안국이 고시관으로 참석하였다. 그리고 소종의 글을 하등으로 정하려 하는 다른 상고관과 달리 그는 그 시가 실로 귀신의 말이라고 칭찬을 하며, 상등으로 그 급을 정했다. 그런데 장원은 딴 시구와 함께 합해 작성한 최세절의 작이었고 소종은 넷째가 되었다. 과방이 발표된 후에 소종이 시험관이었던 모재 김안국을 은문으로서 가서 뵙자, 모재는 시상이 어떻게 여기까지 미치게 되었는지를 물었다. 그러자 소종은 젊었을 때의 꿈 이야기를 자세히 이야기해 드렸다. 모재는 그 말에 더욱 경탄하였다. 그리고 모재의 글을 알아보는 안목에 대한 명성이 이로부터 사람들에게 더욱 알려졌다.

출전은 송와잡설이다.

○ 아들의 지극한 효성에 시로써 감응한 꿈속 아버지

누백의 아버지는 상저라고 했다. 하루는 사냥을 나갔다가 호랑이에게 잡혀 먹었다. 누백은 "아버지의 원수는 갚지 못하면 안 된다." 하고, 곧 도끼를 메고 호랑이를 쫓아갔다. 그리고 호랑이 앞에 나아가 꾸짖기를, "이미 우리 아버지를 잡아먹었으니, 나는 너를 잡아먹으리라." 고 했다. 호랑이가 곧 꼬리를 흔들고 구부려 엎드리거늘, 날쌔게 찍어 그`배를 갈랐다. 아버지의 뼈를 주워서 그릇에 안치하고, 호랑이 뼈는 항아리에 담아 하천 가운데에 묻어 버렸다. 그리고 아버지의 유골을 안치한 곳에서 여묘살이를 했다. 그의 아버지는 마침내 소종의 꿈에 나타나 다음과 시로서 그의 효성에 감응해 주었다.

숲을 헤치고 효자의 여막에 이르르니
정은 감회가 많고 눈물은 다함이 없도다.
흙을 져다가 무덤 위에 날로 더하니
마음을 알아줄 이 오직 밝은 달과 맑은 바람뿐이라
살아서는 봉양하고 죽어서는 <무덤을> 지켜주니
누가 효도에 시종이 없다고 이르리."
披榛到孝子廬(피주도효자여)

情多感淚無窮(정다감누무궁)

負土日加塚上(부토일가총상)

知心明月淸風(지심명월청풍)

生則養死則守(생칙양사칙수)

誰謂孝無始終(수위효무시종)

하였다

누백은 그 후 복을 마치고서야 호랑이 고기를 먹었다.

출전은 대동야승 권5다.

○ 하늘이 감응하는 인간의 세상살이

염초청(焰硝廳)의 염(焰)은 불당길 염(燄)과 같은 자이고 硝란 초석을 말하는데, 무색의 결정체로서 유리·화약의 원료로 쓰였다. 따라서 염초청이란 화약을 관장하는 관청이다.

그곳이 자리 잡은 곳은 마전 다리 개울의 남쪽 어귀였다.

숙종 갑술년 봄의 일이다.

갑자기 이상한 돈 자국이 염초청 건물의 기둥·들보·담·벽에 생겨나 사람들의 눈길을 끌었다. 그 모양이 둥글둥글 서로 이어지면서 바라다보는 사람으로 하여금 매우 의아하게 만들었고, 그 무늬 안의 글자 획까지도 너무나 판에 박은 듯이 뚜렷했다. 또 무늬가 나타난 곳도 어느 특정한 장소에 국한되지 않고 처마 끝·대들보·서까래·중방 등에 이르기까지 매우 광범위하였다. 그런데 그 돈 자국은 생겨났다가 며칠 만에 없어지는가 하면 혹은 열흘, 혹은 한 해를 넘기도록 남아 있기도 해서 도무지 그 까닭이나 성질에 대해 종을 잡기가 어려웠는데 이 사실을 기록으로 전하는 신증동국여지승람에도 도대체 그 까닭이 무엇인지를 알 수가 없었다고 적고 있다.

하늘(天)에 밝지 못하면 덕이 순수하여 온전할 수 없다. 도에 통하지 못하면 스스로 어찌할 수가 없다.

도에 통하지 못한 자여, 실로 슬프도다. 무엇을 도라 하느냐.

천도(天道)가 있고 인도(人道)가 있다.

무위(無爲)하며 존귀한 것은 천도(天道)이고, 유위(有爲)하며 누(累)가 되는 것은 인도(人道)이다.

주인과 같은 것은 천도요 신하와 같은 것은 인도이다. 천도와 인도는 차이가 매우 커서 살피지 않을 수 없다.

장자(莊子) 재유(在宥) 편의 인용이다.

한편 부계기문 가운데 소개되는 일화로는 이런 내용도 있다.

유자산과 관련된 고사다.

그보다 앞서 그 집에 살던 사람 역시 조관(朝官) 신분의 유씨였다.

그가 종남산 아래에 집을 샀더니 홀연히 믿기 어려운 괴상한 일들이 집에 일어나기 시작했다. 하루는 일찍 일어나 보니 벽에 종이 조각이 걸려 있었다. 가져다 보니 다음과 같은 시가 쓰여져 있었다.

밤이 다하도록 천리길을 가니

아득히 옛 땅은 비었네

슬피 부르짖어도 일월은 없고
머리를 돌리니 피는 붉게 물들었네
終夜行千里(종야행천리)
滄茫古地空(창망고지공)
悲呼無日月(비호무일월)
回首血流紅(회수혈류홍)

그로부터 집안이 알 수 없는 일로 자주 소란스러워지고, 벽에 자주 글씨를 써서 경고하기를,

"집 주인이 나가지 않으면 장차 큰 화가 있을 것이다."

라고 하였다. 그 조관은 어쩔 수 없이 집을 팔고 다른 곳으로 옮겨 갔는데, 귀신은 드디어 크게 날뛰어서 그 집에 들어와 사는 자는 문득 죽음에 직면하는 일이 생겼다. 그래서 그 집은 결국 폐가가 되어 버렸다.

그런데 유자신이 이 집에 들어와 옮겨 산 뒤로는 왕실과 잇달아 혼인하여, 금관자 옥관자가 집에 가득하고 부귀의 성대함이 근고에 아직 그만한 집이 없을 정도였다.

아마 복록이 후한 집에서는 귀신도 또한 보호해 돕기 때문일까? 이는 반드시 까닭이 있으리라.

믿기 어려운 기록이다. 또 우리는 이런 기록을 대하면 우선 자기 자신에게 돌아올 행운을 먼저 떠올린다. 감당하기 어려운 복록이라면 남들이 아닌 자기 차지가 되어

지기를 바라는 마음 때문이다. 그리고 그런 이유 때문에 우리는 종교 생활을 하면서도 기복만을 바란다. 세상을 바라보는 마음의 눈에 대해서는 대수롭지 않게 여기면서도. 그러나 항상 기억해야 할 일은 자기 안에 간직한 삶의 진실이다.

소 강절(邵康節) 선생이 말하였다. "하늘의 들으심이 고요하여 소리가 없으니 푸르고 푸른 어느 곳에서 찾을 것인가. 높지도 않고 또한 멀지도 않다. 모두가 다만 사람의 마음속에 있을 뿐이다[康節邵先生曰 天聽이 寂無音하니 蒼蒼何處尋고 非高亦非遠이라 都只在人心이니라]. "

이영은 친구를 잘못 가려 척준경이 이여림을, 지록연 등은 박경승을 중상 배척한 사건 등에 매양 가담하는 허물은 있었다. 그러나 천성은 방정하고 강직해서 권세 있는 사람에게 굽히지 않는 장점도 있었다.

아버지 이중선이 안성군의 호장이었던 그는 어려서 글공부를 하다가 아버지의 죽음을 맞았다. 그는 앞날의 진로를 생각하면서 아버지의 영업전을 물려 받아 서리로 되려는 생각에 관련 청원서를 가지고 해당 관청의 정조주사를 찾아갔다. 거기서 그는 인사를 하는데 읍만하고 절을 하지 않았다. 그러자 그 주사는 성이 나서 그를 꾸짖었다. 그 꾸지람을 들은 이영은 즉석에서 청원서를 찢어버리면

서
“내가 과거에 급제해서 조정에서 벼슬을 할 것인데 무엇 때문에 너희들에게 절한단 말이냐?”
라고 하며 돌아섰다. 과연 그는 숙종 때에 을과에 급제하고 직사관으로 임명되었다. 당시 국경의 걱정거리였던 여진에 대해 내시 임언이 토벌하자는 건의를 왕에게 올렸다. 여기에 대해 이영은,
“무기는 흉악한 기계이고 전쟁은 위험한 일이니 함부로 발동하여서는 안됩니다. 임언은 아무 사변도 없는 이때에 무력을 사용하여 분쟁을 일으키자고 하니 대단한 잘못입니다.”
고 하였다. 그러나 왕은 그의 말을 듣지 않고 평장사 임간에게 명령을 내려 여진을 토벌하게 하였다. 그때 이영도 당연히 함께 종군을 했는데 전쟁에서 지면서 그 책임으로 조정에서 면직을 당했다. 후에 경산부 원으로 임명되어 백성에게 청백하고 직무에 근면하여 다시 조정의 높은 벼슬에 오르데 되었는데 이자겸이 한안인을 죽이면서 그도 한안인의 매부라는 이유에서 한안인과 공모자로 몰려 진도로 귀양을 떠났다. 그런데 그 귀양지에 머물고 있을때였다. 어떤 사람이 이영에게 알려주기를.
“당신의 어머님과 아들이 장차 적몰 당하여 관청의 노비로 된답니다.”
라고 하였다.

예기치 않은 상황에 직면한 이영은 술을 한 말이나 들이키면서 다음과 같은 결심을 보인다.

"내 스스로 반성하건대 이번 일에 잘못이 조금도 없어 응당 죽을 것을 참고 때를 기다렸는데 만약 나의 늙으신 어머님께서 나 때문에 적몰되어 그 천한 종노릇을 하시게 된다면 내가 구차하게 살아서 무엇하겠는가!"

그는 결국 복받쳐 오르는 억울함 때문이었는지 그 길로 돌아오지 못할 길로 가고 말았다.

이 소식을 전해들은 이자겸은 술사를 보내서 그의 시체를 길 가에 묻게 했다.

그런데 이상한 일이었다.

지나가는 말이나 소가 그곳을 밟지 않았고 오히려 학질에 걸린 사람이 그 무덤에 기도를 드리면 병이 씻은 듯이 낫곤 하였다. 급기야 이자겸이 제거되고 이영의 아들이 조정에 그의 무덤을 고쳐 장사지내기를 청원했는데 무덤을 파고 안을 본즉 시체가 그때까지 조금도 변하지 않고 그대로였다. 그래서 조정에서는 그에게 첨서 추밀원사 벼슬을 추증하고 이부에 명령을 내려 그의 죄명을 장부에서 삭제하게 하였다.

어떻게 해석해야 할까?

생각해 볼 수 있는 여러 가지 갈래 가운데 여기서도 기억해야 할 것은 결국 삶의 진실일 것이다. 하늘 앞에서도 당당할 수 있고 자기 자신을 돌아볼 때 추호도 부끄럽지 않은 삶의 진실. 그러므로 공자는 세상을 살아가면서 괴력난신怪力亂神을 입에 올리지 않았을 것이다.

○ 감응의 문제 소 두 마리를 먹이는 노인의 행동

한편 그와 관련해서 인상에 남는 일화는 검열 벼슬에서 파직되어 돌아갈 때의 다음 기록이다.

금천 땅의 언덕에 이르러 그는 말에게 먹이도 먹일 겸 잠시 휴식을 취하고 있었다.

마침 그곳에는 어느 노옹도 소 두 마리를 먹이고 있었다. 성안공은 그 노옹에게 이렇게 물었다.

"두 마리의 소 가운데 어느 소가 더 좋은가?"
노옹은 대답하지 않았다. 두 세 번 물어도 대답이 없으므로 공은 매우 괴이쩍게 여겼다.

공이 이미 말에 올라 수십 보를 떨어지고 난 뒤였다. 노옹이 성안공을 급히 뒤따라와서 공에게 대답하기를,

"아까 묻는 것을 즉시 대답해 올리지 못한 것은 두 소가 노역에 복종한 것이 여러 해 되었기 때문입니다. 그런데도 제가 어떻게 차마 어느 하나를 놓고 그 말씀에 대답을 할 수가 있었겠습니까? 지금에야 드리는 말이지만 실

은 작은 소가 더 좋습니다."
라고 하였다.

공은 내려서 감사하며 말하기를,
"노옹께서는 숨은 군자이십니다. 나에게 처세법을 가르쳐 주셨습니다."

상진은 드디어 그 기억을 가슴에 새겨 잊지 않았다. 그리고 그 결과 처음 벼슬에 나간 때로부터 벼슬에서 물러날 때까지 일찍이 공은 남에게 거슬린 일이 없었다고 한다.

○ 벗을 사귀는 도리에 관한 옛사람의 마음

공자가 말하였다. “선한 사람과 같이 거처하면 지초(芝草)와 난초(蘭草)가 있는 방 안에 들어 간 것과 같아서 오래되면 그 냄새를 맡지 못하나 곧 그 향기와 더불어 동화(同化)되고, 선하지 못한 사람과 같이 있으면 생선 가게에 들어간 것과 같아서 오래 지나면 그 악취를 맡지 못할지라도 그 냄새와 더불어 동화되는 법이니, 붉은 단사(丹砂)를 지니면 붉어지고 검은 옻을 지니면 검어진다. 그러므로 군자(君子)는 반드시 그 더불어 어울리는 자를 삼가야 한다.“

「가어」에서는 또 이렇게 말했다. “좋은 사람과 동행하면 마치 안개 속을 가는 것과 같아서 비록 옷은 젖지 않더라도 때때로 윤택함이 있고, 무식한 사람과 동행하면 마치 뒷간에 앉은 것 같아서 비록 옷은 더럽히지 않더라도 때때로 그 냄새를 맡게 된다.“

성호는 교우 문제에 대해서 이렇게 말한다.

옛사람은 친구와 사귈 즈음에 반드시 ‘사귐을 논한다[論交]’ 고 했다. 이른바 사귐을 논한다고 함은 무슨 뜻인가? 눈앞의 즐거움만이 아닌 반드시 서로 저버리지 않아야 하는 의리를 강론하였을 것이다.

만약 부귀한 자끼리 서로 만나 즐거움과 명리를 같이하는 경우라면 어찌 친구의 의리를 강론한 후에야 사귀었겠는가?

「사기」에, "부자가 벗을 사귀는 것은 가난할 때를 위함이요, 귀한 자가 벗을 사귀는 것은 천해질 때를 위한 것이다." 했으니, 가난하고 천하게 되어도 저버리지 않아야만 비로소 친구인 것이다.

또 옛사람의 말에, '하나는 귀하고 하나는 천할 때에 친구의 정분을 볼 수 있고, 하나는 죽고 하나는 살았을 때에 친구의 정의를 알 수 있다' 라고 했다.

생각하면 이는 천고에 뼛속까지 찌르는 말이다.

친구는 오륜의 하나로서 처음 사귈 때는 군신이나 부부처럼 반드시 폐백을 받들고 서로 맹세하는 절차가 있다.

이는 사상견례(士相見禮)[의례]에 소상히 기록되어 있다.

「풍토기」를 상고하면, 월(越)나라 민요에,

그대는 수레 타고 내가 삿갓 썼거든
다른 날 서로 만나 수레에서 내려 읍하게나
그대가 우산 메고 내가 말을 탔거든

다른 날 서로 만나 그대 위해 말에서 내리리다

君乘車我戴笠(군승거아대립)

他日相逢下車揖(타일상봉하거읍)

君擔簦我跨馬(군담등아과마)

他日相逢爲君下(타일상봉위군하)

라고 하였다.

월나라 사람은 순박하여 처음 친구를 사귈 때는 일정한 예식이 있어 단을 쌓고 닭과 개를 잡아 제사를 올렸으며, 이와 같이 맹세한 후에는 조그만 허물이 있다 해서 경솔히 절교하지 않았다.

공자도 말한다.

"친구란 친구된 의리를 잊지 않는 것이다."

이런 사례는 원양의 일에서 볼 수가 있다.

오(吳)나라 노숙은 이미 여몽(呂蒙)과 정분이 두터운데도 벗을 맺고 떠났으니, 벗을 맺을 때에는 반드시 내실에 들어가 어머니에게 절하고 형제의 의를 약속하였다. 지금 사람들이 친구를 형제라고 부르는 것도 또한 옛날부터 전해 오는 의(義)인 것이다. "

한편 이런 관점에서 기억되는 역사속의 대표적인 인물로는 관중과 포숙아가 있다. 흔히 친구 사이의 돈독한 우정 관계를 떠올릴 때 사용되는 관포지교(管鮑之交)의 주인공들로서 활동 배경은 춘추시대다.

그 가운데 관중은 우리에게 너무나 잘 알려진 인물이다. 그는 삼국시대의 제갈공명조차도 자신을 관이오 즉 관중에게 비교할 만큼 매우 뛰어난 역량의 소유자였다.

그러나 그의 역량이 세상에 드러날 수 있었던 것은 오로지 친구 포숙아가 있었기 때문이다. 일찍 관중이 시장에서 포숙아와 생선 장사를 하고 있을 때의 일이다. 장사가 끝나면 관이오는 언제나 그날 수입에서 포숙아보다 배 이상의 돈을 더 나누어 가졌다. 이에 포숙아 주위의 사람들은 항상 이렇게 불평을 하기 마련이었다.

"왜 반으로 나누지 않고 관중에게 항상 배나 더 주는 것이지요?"

포숙아는 관이오를 위해 변명하기를,

"관중은 구구한 돈을 탐해서 그러는 것이 아니다. 집안이 가난하고 식구가 많다. 내가 그에게 더 가지고 가도록 사양한 것이다. 이를 오해하지 말라."

그들 둘이 무슨 일을 논의 할 때에도 왕왕 이오의 생각이 채택되지 않아 사람들은 이를 비웃곤 하였다. 그러나 그때마다 포숙아는 관중을 위해 변명해 주었다.

"사람은 누구나 때를 잘 만날 수도 있고, 불우한 때도 있다. 만일 관중이 때를 만나 일을 하면 백번에 한 번도 실수를 하지 않을 것이다. 그대들은 함부로 관중을 비웃지 말라."

그들은 함께 전쟁에 나가기도 하였다. 싸움터에 서면

관중은 항상 군대의 뒤쪽에 숨고, 포숙은 앞에 서서 전쟁에 임했다. 사람들은 이를 보고 모조리 비겁한 자라고 관중을 비난했다. 그때도 포숙아는 관중을 여전히 두둔했다.

"관중은 용기가 없거나 비겁한 것이 아니다. 그에겐 늙은 어머니가 계신다. 자기 몸을 아껴 늙은 어머니에게 효도하려는 것 뿐이다. 어찌 겁이 많기 때문이겠는가?"

관중은 이런 소문을 전해 들으면서 길게 탄식하는 말이 있었다.

나를 낳아 준 사람은 부모이나

나를 알아주는 사람은 포숙아다

生我者父母(생아자부모)

知我者鮑叔(지아자포숙)

이는 관중과 포숙이 생사를 함께 하는 교우의 의로서 친구간의 돈독한 사귐을 나타내는 말로서 뒷날 관포지교(管鮑之交)라는 사자성어의 배경이 된 전말들이다.

두 사람이 활동하던 당시는 춘추 전국시대로 제양공이 생존해 있던 무렵이었다.

제양공의 장자 규는 노나라 여자의 몸에서 태어나고, 둘째 아들 소백은 거나라의 여자 몸에서 태어났다. 관중이 포숙에게 말했다.

"다음날 임금 자리엔 규 아니면 소백이 오르게 될 것이요. 그대와 나는 그들의 스승이 됩시다. 둘 중 하나가 임금 자리에 오르면 우리는 서로 천거하기로 합시다. 그래야만 우리는 언제든지 같은 임금 밑에서 일할 수 있소."

포숙아가 동의했고 관중은 공자 규의 스승이 되고, 포숙아는 소백의 스승이 되었다.

그후 제양공이 죽고 나라가 어지러워지면서 포숙아는 소백과 함께 거나라로 몸을 피하고 관중은 노나라로 떠났다. 그 얼마 후 나라가 다시 안정되고 그들을 필요로 할 때 군위를 잇고자 제나라로 서로 먼저 돌아오고자 할 때의 일이었다. 거나라는 노나라보다 가까워 소백이 공자 규보다 앞서서 돌아올 수 있었다. 이에 뒤따르던 관중이 소백을 죽이고자 활을 쏘았다. 그러나 다행히 그 화살은 소백을 맞추지 못하고 비껴갔다. 그 결과 제나라의 주인은 소백이 되고 공자 규는 노나라로 돌아가 뒷날을 기약하며 소백의 군대를 상대로 맞서 싸웠다. 포숙아는 노나라의 장공에게 서신을 보내 공자 규를 잡아 죽이고 관중과 소홀은 포로로 제나라에 보내달라고 제안했다. 우여곡절 끝에 그 제안은 받아들여졌다.

포로가 되어 잡혀 온 관중을 포숙아는 조정의 재상으로 천거했다.

뒷날의 제환공이라 일컬어지는 소백은 원수를 받아들일 수 없다고 거절했다. 그러나 끈질긴 포숙아의 설득 끝에 제환공은 그를 쓰기로 마음을 굳혔다.

관이오를 받아들인 제환공은 대의 명분에 따르고 천하의 민심을 얻으려는 그의 계책에 힘입어 결국 제나라의 환공으로 하여금 중국 땅의 패자가 되게 하였다. 그래서 제환공은 그를 중부(仲父)라 일컫고 사람들에게도 관이오의 이름을 함부로 부르지 말고 관중이라는 자로서 그의 호칭을 대신하게 하였다.

○ 문장으로 맺어진 아름다운 마음의 어울림

포숙아나 관중과 달리 신분을 뛰어넘는 인간들의 아름다운 우정이 빼어난 문장 실력으로 인해 생겨난 다음과 같은 사례도 있다.

청천(聽天) 심수경(沈守慶)이 젊었을 때였다. 평양의 기녀를 사랑하여 매우 정을 쏟았다. 그러나 그가 병사(兵使)가 되었을 때, 그 기녀는 이미 죽고 난 뒤였다. 이에 심수경은 그 죽음을 슬퍼하여 시를 짓기를,

사람이 나서 한 번 죽는 일, 끝내 면키 어려울 터이니
원컨대 선연동 안의 혼이 되어지기를.
人生一死終難免(인생일사종난면)
願作嬋娟洞裡魂(원작선연통리혼)

라고 읊었다.

여기서 선연동(嬋娟洞)이란 기녀들의 주검이 묻혀 있는

묘지를 일컫는다. 그만큼 죽은 기녀을 향한 수경의 사랑이 절절했던 것이다.

그런데 그가 뒷날 호서의 관찰사가 되었을 때였다. 이와 같이 죽은 기녀를 기리는 그의 시구로 인해 송계 권응인과 깊은 교분의 정을 나누게 되는 계기가 되었다.

송계(松溪) 권응인(權應仁)은 바로 당시의 참판 권응정(權應挺)의 서동생이었다. 그는 벼슬길에 나서지 못했지만 문장이 매우 뛰어났는데, 홍주의 기녀가 심수경을 시봉하며 부르는 시구가 바로 다음과 같은 응인의 시였다.

인생이 뜻을 얻으면 남북이 없나니,

선연동의 혼일랑 되지를 마소."

人生得意無南北(인생득의무남북)

莫作嬋娟洞裡魂(막작선연동리혼)

처음에 심수경은 이게 누구의 시인지 잘 알지 못하다가 시구의 범상치 않음을 늦게야 깨닫고 크게 칭찬하며 누구의 작품인지를 물었다.

기녀는 그게 권응인의 작품이라고 대답했다.

심수경은 평소에 응인이라는 이름을 들어 잘 알고 있었으므로 곧 그를 맞아들여 서로 인사를 나눈 뒤 시를 주고받는 술자리를 벌였다.

그 자리에서 지어 부른 권응인의 시에

백설가 전해 듣고 이름 익힌 지 오래건만,

청운에 길이 막혀 서로 낯 알기 더디었네.

歌傳白雪知音久(가전백설지음구)

路阻靑雲識面遲(노조청운식면지)

라고 하였다. 심수경은 그의 손을 잡고 말하기를,

"자네의 재주가 이같이 높을 줄은 짐작하지 못하였다."

고 하며 드디어 포의의 벗으로서 앞날을 기약하였다.

여기서 말하는 포의(布衣)의 신분이란 벼슬하지 않은 선비와 교분을 주고받는다는 뜻이다. 신분 제약이 엄격했던 당시의 풍조로 볼 때 분명히 기억할만한 하나의 좋은 사례다.

○ 시에서 엿보이는 마음의 벗 포의

홍공 담이 병조 판서에 임명되었을 때의 일이다.

대사헌 조사수가 대간에게 말하기를,

"홍담은 나의 마음으로 사귀는 벗입니다. 그러나 홍담의 재능은 이서(吏書)에는 우수하지만 병정(兵政)을 주관하는 데는 합당하지 않습니다. 어찌 이를 거론하지 않을 수 있겠습니까?"

하고 드디어 위를 설득하여 그 임명을 철회시켰다. 그리고 곧장 친구에게 가서 말하기를,

"내가 이 일이 그대의 뜻에 어떤가?"

하였다. 홍담은 거기에 대해 말하기를,

"내가 병조 판서의 자리를 더럽힌다는 것은 결코 견디어낼 수 없는 일이었네. 그로 인해 나로서는 여간 근심스러운 바가 크지 않았는데 다시 말해 무엇 하겠나. 돌아보면, 그대가 국론을 바로 잡았으니, 그보다도 다행스러울 수가 없다네."

라고 하였다. 사람들은 모두 사사로운 뜻이 없는 조사수의 인간됨에 탄복하는 것은 물론 스스로 역량 돌아볼 줄 아는 것을 홍담에 대한 칭송에도 인색하지 않았다. 당시 공직에 몸을 담고 있던 관료들의 품격이 이와 같았으니, 어찌 나라의 복이 아닐 수가 있겠는가?

김시양의 부계기문에 전해오는 고사다.

아마 이런 유형의 아름다운 우정을 통해 떠올릴 수 있는 교훈이 있다면 다음과 같은 공자님의 말씀일 것이다.

"선한 사람과 같이 지내면, 마치 지초와 난초가 있는 방에 들어간 것 같아서 오래가서는 그 향기를 맡지 않아도 그와 같이 변할 것이고, 선하지 못한 사람과 같이 지내면, 마치 생선 가게에 들어간 것과 같아서 오래 가서는 그 냄새를 맡지 않더라도 그와 같이 변할 것이다. 단사를 갖고

있는 사람은 붉어지고, 옻칠을 갖고 있는 사람은 검어진다. 그러므로 군자는 반드시 함께 지내는 사람을 삼가해야 한다."

따라서 좋지 않은 벗을 사귀게 되었을 때의 다음과 같은 폐단에 대해서도 우리는 같은 맥락에서 반드시 기억하지 않으면 안 될 것이다.

"좋은 향기가 나는 풀과 악취를 풍기는 풀은 한 곳에다 두면 10년이 지나도 여전히 악취만 난다.

좌전 희공 4년의 기록이다.

춘추시대 진(晉)나라 때였다.

위무자(魏武子)의 아들 과(顆)는 아버지가 죽은 후 서모를 개가시켜 죽은 사람을 따라서 죽게하는 순사(殉死)를 면하게 해 주었다.

뒷날 위과가 전쟁터에서 싸울 때 의붓엄마 아버지의 혼이 나타나 적군의 앞길에 풀을 잡아 맺어 적을 넘어뜨려 위과가 승리하게 하였다[좌씨전 선공 15년].

여기서 생겨난 사자성어가 결초보은(結草報恩)이다.

풀은 원래 봄에 지표면을 뚫고 싹을 내미는 상징적인 매체로 이해되는 까닭에 역에서도 수뢰둔(水雷屯) 괘를 대신하는 상징어로 쓰고 있다.

하늘과 땅이 처음 사귀어 만물이 열리는 때가 곧 상경 수뢰둔의 괘상이다. 그곳의 단전에서 만물을 처음 키워내는 우뢰와 비의 움직임이 가득 차 있을 때가 수뢰둔이니 그와 같이 하늘이 처음[天造草昧] 세상을 낼 때에는 마땅히 뜻이 굳은 제후를 세우고 편안하게 여겨서는 안 되는 법이다.

풀은 바람 부는 쪽으로 흔들리니 이는 하늘의 덕스러움에 순종하는 백성을 상징하는 비유다. 그러나 그때의 군자가 군자다움은 무엇인가?

뜻이 하늘의 덕을 펼치는 쪽으로 온전히 열려 있어야 함을 말한다.

이에 그 뜻을 김가원은 주역 본문의 내용에 기초하여 다음과 같이 압축한다.

둔(屯)은 가득 찼다는 뜻이니 물이 처음 생겨나는 것이다.

강(剛)과 유(柔)가 처음 사귀어 어려움이 생겨났으니

험한 가운데서 움직이나 크게 형통하고 곧아야 한다

그 까닭은 무엇인가? (만물의) 어려움을 돕고자 함이니

하늘이 처음 만물을 지음에 우레와 비로써 움직이면

군자는 구름과 우레의 상을 보고서 만물이 윤택하도록 도와야 한다.

屯者盈也物始生(둔자영야물시생)

剛柔始交而難生(강유시교이난생)
動乎險中大亨貞(동호험중대형정)
其故何也欲助難(기고하야욕조난)
天造草昧雷雨動(천조초매뇌우동)
君子以雲雷經綸(군자이운뢰경륜)

○ **마음으로 통하는** 이복형제의 눈물겨운 정

위나라 선공의 이름은 진(晋)이었다.

그에게는 배다른 아들 형제 셋이 있었다.

그 중 공자 수와 급자는 비록 이복 형제간이었지만 우애가 지극히 돈독했다. 반면 공자 삭은 달랐다. 천성이 교활해서 어미의 사랑만 믿고 일찍부터 불손한 생각을 하며 자객을 수하에 길렀다. 그는 평소부터 급자를 없애야겠다는 생각을 가지고 있었다. 공자 삭은 어머니와 모의하여 이복형 급자를 죽이도록 위선공을 충동질하였다. 이런 사실을 안 공자 급의 어머니 이강은 누구에게도 자기 원한을 호소할 곳이 없자 한밤중에 목을 맨 채로 자결을 하고 말았다.

어머니의 죽음 앞에 급자 또한 견디기 어렵도록 마음이 슬펐다.

또 공자 삭과 선강의 모략은 위선공으로 하여금 급자를 죽이지 않으면 안 되도록 상황을 만들었다. 위선공은 세상 이목을 가리기 위해 남의 손을 빌려서 죽이기로 했다. 마침 제희공이 기나라를 치려고 군사 지원을 요청해왔다.

위선공은 급자에게 제나라로 떠나도록 명령했다. 신야를 지나는 길목에 자객의 손을 빌려 급자를 찔러서 죽일 계책까지 마련해 두고서.

이를 급자에게 알려준 사람은 이복동생 공자 수였다. 급자는 이 사실을 전해 듣고서도 태연했다.

“사람의 자식 된 자는 그 명하심을 쫓는 것이 효도다. 부친의 명하심을 순종하지 않으면 이는 바로 역적이나 다를 것 없다. 어딜 간들, 이 세상에 아비 없는 백성이 사는 그런 나라가 있으리오.”

수일 뒤 죽음의 길로 떠나는 급자의 뒤를 공자 수는 따라가 울면서 만류했다.

“형님은 도망치소서.”

급자가 눈물 어린 눈으로 웃으며 대답했다.

“어진 동생은 더 따라오지 말고 돌아가거라.”

급자의 마음을 돌릴 수 없다고 깨달은 공자 수는 결심했다.

‘이번에 형님이 세상을 떠나시면 부친은 나에게 임금 자리를 전할 것이다. 그때 내 무슨 면목으로 세상에 얼굴을 드러 내리요. 형님은 말씀하시기를 아비 없는 사람이 없다고 하셨으나, 또한 형님 없는 동생인들 이 세상에 어디 있겠는가. 내 형님 대신 죽으리라. 그러면 우리 부친은 반드시 느끼시고 깨닫는 바가 있으리라. 즉 나의 죽음은 부친의 마음을 자애롭게 만들 것이다. 그러는 것만이 나로서는 유일한 효도의 길이다. 또한 만고에 나의 이름도 더럽히지 않을 수 있다.’

공자 수가 드디어 급자가 있는 배 위로 올라탔다. 친히 큰 술잔에다 술을 가득 부어 형님에게 바쳤다. 말보다 먼저 흐르는 눈물이 구슬처럼 술잔에 떨어졌다. 급자가 이를 받아 마시려는데 공자 수가 말했다.

"술잔에 눈물이 들어갔습니다. 새로 받으십시오."

급자가 웃으면서 말했다.

"나는 어진 동생의 정을 마시고 싶다."

하고 그대로 마셨다.

공자 수가 눈물을 닦고 말했다.

"오늘 이 술은 제가 형님과 영원히 이별을 하는 술입니다. 형님은 이 동생의 정을 살피사, 싫다 마시고 많이 드십시요."

급자가 웃으며 말했다.

"내 어찌 양껏 마실 수 있으리오."

형제는 눈물로 술잔을 서로 주고받으며 양껏 마셨다.

그중에도 수는 술잔을 몰래 버리며 취하지 않도록 과음을 피했다.

급자는 크게 취해 코를 골면서 잠에 떨어졌다.

수는 술이 취해 잠이 든 이복형에게 한 장의 서찰을 써서 남기고 급히 대신 길을 떠났다.

그는 대기 중인 수레에 형의 대신하여 길을 떠났다. 이복형 급자 행세를 하던 그는 신야 땅에서 자객들의 급습을 받아 목이 떨어졌다.

술에서 깨어난 급자는 동생이 없어진 것을 알고 놀라

옆에서 내미는 서찰을 펼쳐 보았다.

거기에는 이렇게 쓰여 있었다.

'아우가 대신 갑니다. 형은 마땅히 신속하게 피하소서[弟己代行 兄宜速避].'

급자는 편지를 보고서 하염없이 울었다.

"동생이 나 때문에 가선 안 될 곳으로 갔구나. 속히 가야겠다. 내 어찌 동생을 죽일 수 있으랴."

좌우 사람들에게 재촉하여 현장에 도착하니 공자 수의 머리는 나무 상자에 이미 들어가 있었다. 급자는 그 자리에 주저앉아 동생의 머리를 안고 통곡하며 울었다.

"하늘이 원망스럽구나."

자객들은 뒤늦게 그가 곧 자기네가 죽여야 했던 급자임을 알고 당황했다.

급자는 흘리던 눈물을 거두며 자객들에게 말했다.

"내가 바로 너희들이 죽이고자 했던 급자다. 나는 부친께 죄를 졌기에 죽어 마땅하지만 죄 없는 내 동생 수를 무슨 죄가 있다고 죽였느냐. 너희들은 나의 목을 베어 임금께 바치고 사람 잘못 죽인 죄를 씻도록 하여라."

그래서 결국 그도 자객에 의해 죽임을 당했다.

이와 같은 눈물겨운 고사를 전해 주는 문헌은 시경이다. 어찌 백성들이 무심하겠는가. 그들 두 형제의 의로운 죽음을 추모하던 시의 제목은 두 아들이 배에 올랐다는 뜻의 이자승주二子乘舟다.

두 아들은 배를 탔다네
파도에 몸을 싣고 떠나갔다네
내 그대들을 생각하노라면
뜨거운 슬픔에 가슴 울렁거려
두 아들은 배를 탔다네
두둥실 못 올 길로 가 버렸다네
목이 메어 기릴 수도 없구나.
앞 다퉈 죽어간 그대들의 순결을
二子乘舟(이자승주)
二子乘舟(이자승주) 汎汎其景(범범기경)
願言思子(원언사자) 中心養養(중심양양)
二子乘舟(이자승주) 汎汎其逝(범범기서)
願言思子(원언사자) 不瑕有害(불하유해)

출전은 시경(詩經) 패풍(邶風)이다.

○ 건곤(乾坤)의 덕으로 마음을 꽃피우던 옛사람들의 아름다운 정신

예로부터 함경도 땅은 험한 산천에 풍속이 사나워 중앙 정부로부터 주목받지 못하는 땅이었다. 따라서 이중환의 택리지에서도 기후가 춥고 메마른 토지 때문에 그곳은 곡식이 조와 보리 뿐이며, 벼는 적고 면화도 없다.고 적고 있다. 그래서 지방 사람들은 개가죽을 입고 추위를 막으며 굶주림을 견디는 것은 여진족과 한가지라고 말한다.

그러나 그곳 젊은이들이 나라의 조정에 벼슬아치로 발을 내딛지 못한 것은 결국 교육의 부재 탓이었다. 이는 이 지방 사람들의 경헌공에 대한 존경심에서 쉽게 엿볼 수가 있다.

경헌공 이계손은 성종 때의 인물이었다.

그는 이곳에 감사로 부임해 와서 관내의 쓸만한 소년들을 뽑아 관에서 뒷바라지를 하면서 경사와 사람으로서의 올바른 행실을 가르쳤다. 이로부터 이곳에서는 문학이 성하게 일어나고 그 이전과 달리 과거에도 합격하는 사람이 생겨났다. 이것을 두고 이 지방 사람들은 파천황이라는 용어가 생겨났다.

파천황(破天荒)이란 중국 형주에서 전해져 오는 하나의 옛 고사다. 그곳 형주에서는 해마다 중앙 과시에 사람을 보내 시험을 치루게 했으나 한 사람도 합격하는 자가 없었다. 그래서 사람들은 하늘이 시험에 합격하는 것을 훼방하고 있다는 뜻에서 천황(天荒)이라고 불렀다. 그러던 게 뒤에 유세劉蛻가 처음으로 급제를 했는데 사람들이 이를 두고 하늘의 훼방을 깨뜨렸다고 하여 파천황이라 일컫게 된다. 함경도의 파천황은 바로 이를 빗댄 말로써 거기에는 경헌공 이계손에 대한 고마운 마음이 함께 깃들어 있는 셈이다.

그런데 우리가 여기에서 돌아볼 수 있는 세상의 한 단면은 무엇일까?

하나는 교육의 중요성이고 다른 하나는 세상의 구성원으로 살아가는 사람의 뜻에 관한 일이다.

함경도와 덧붙인 견해 한가지

그럼에도 이태조는 임금에 오른 후 서북 지방 사람은 높은 벼슬에 임용하지 말라는 명령을 내렸다. 정말 안타깝고 한스런 지역 차별이 아닐 수 없다. 이는 나라와 민족의 앞날을 생각할 때 크게 잘못된 옛적의 선례로 받아들여야 할 것이다.

이것은 주역의 괘상으로 말하면 산수몽괘를 떠올려 볼 수가 있다. 산수몽이란 산에서 물이 처음 흘러 나왔을 때 그 길을 열어준다는 의미를 담고 있다. 마치 사람의 일에 견주면 교육을 생각해볼 수가 있다. 그래서 예부터 주역의 산수몽괘는 교육과 관련된 괘상으로 이해해 왔다.

한편 사람의 능력이 세상을 향해 열려 있어야 주장을 우리는 절집 안의 축원문과 결부시켜 생각할 수도 있다. 그곳에서는 삶의 본질을 염두에 둔 뜻 있는 사람의 수행 공덕이 결국 돌아가야 하는 곳으로 다음의 세 가지를 열거한다.

하나는 세상과 세상 사람들을 위한 역할이다.

둘째는 진리를 위한 회향이다.

셋째는 본래 비어서 실체가 없는 마음자리로의 회향이다.

○ 마음의 묘한 작용 시를 통한 또 하나의 풍자

세상을 살아가면서 우리는 해야 할 말을 모조리 내뱉고 살아갈 수는 없다.

알면서도 모른 체해야 할 때도 있고, 보고서도 눈감아야 하는 일들도 있다.

그러나 올바른 사람의 도리를 생각하면, 앞장서선 안 되는 일에도 말을 해야 할 때가 있고, 돌아오는 불이익을 감수하면서도 입을 열어야 할 때가 있다. 그래서 우리는 종종 직설이 아닌 우회적인 방식을 택해 자기 내면을 드러내기도 하는데 그것이 여기서 말하고 싶은 시를 통한 풍자의 방식이다. 달리 말해 이는 풍자로 활용하기도 하는 우리 마음의 미묘한 힘을 상기해야 하는 문제다.

조선 조 광해군 신해년 봄이었다.

진사 임숙영이 조정에서 정책을 묻는 책문시에 그때의 책제와는 엉뚱한 내용으로 당시의 정사를 풍자하고 기롱하였다. 시험을 관장하는 관원은 두려워 그 시험지를 임금에게 선뜻 내보이지 못했다. 그러나 그게 덮어질 리는 없었다. 광해군이 그것을 직접 펼쳐 보았는데 과거에서 그의 이름을 삭제하도록 명령했다. 승정원 및 양사에서 수긍하기 어렵다며 그 명을 도로 거두어들이기를 청했다. 그리고 그해 여름이 다 가도록 임숙영의 이름을 방에서 내치지 않았는데 결국 가을에 가서야 비로소 광해군은 그 내용을 사실대로 발표할 것을 허락했다. 그러자 권필이 그 소문을 듣고 시를 지었다.

궁안의 버들 푸르러 꾀꼬리 어지럽게 나는구나
성안에 가득한 벼슬아치는 봄볕에 아첨해 마지않아
조정의 태평한 즐거움을 함께 하례하거늘
누가 위태롭단 말이 포의의 입에서 나오게 하였나.
宮柳青青鶯亂飛(궁류청청앵란비)
滿城冠蓋媚春暉(만성관개미춘휘)
朝家共賀昇平樂(조가공하승평락)
誰遣危言出布衣(수견위언출포의)

여기에서 궁안의 버들이란 당시의 임금인 광해군의 외척 유희분을 일컫는 것이고 포의는 숙영을 가리킨다. 즉 궁안의 푸르른 버들이란 다름 아닌 유희분 등의 봄 햇살처럼 왕성한 세도를 염두에 두고 하는 비유며 또 봄볕에 아첨하는 벼슬아치란 나라의 정사가 제대로 되어가지 못하는데 대한 권필의 조롱인 셈이다.

이 시의 작자 권필은 호가 석주였고 그의 집안이 대대로 현석촌에 살았다. 사람됨이 소탈하고 구속받기를 싫어하여 한동안 과거를 보지 않았는데 당시의 국사에 그만큼 그가 분개하여 못마땅해한 탓이었다. 그래서 그의 시에는 당시의 국사를 기롱 풍자하는 내용이 대부분을 이루는데 그는 시에서 뿐이 아니라 직접 권력 있는 외척을 마주해서도 피하지 않고 자기의 할말을 서슴없이 다했다.

일찍이 친척의 집에 가서 술을 마시고 취해 있을 때였다. 마침 유희분이 그 집을 찾았다.

주인이 누워 있는 그를 발로 차면서 말했다.

"문창대감이 왔소."

라는 말이었다.

권필은 아랑곳하지 않았다. 누운 채로 유희분을 맞아 눈을 부릅뜨며 한참을 바라보다가 말했다.

"네가 유희분인가. 네가 부귀를 누리면서 국사를 이 지경에 이르게 하였느냐. 나라가 망하면 네 집도 망할 것이니 도끼가 네 목에는 이르지 않겠느냐."

하고 꾸짖었다.

기가 막힌 희분은 말을 못하고 있다가 이내 돌아가 버렸다.

권필의 명성이 세간에 자자해진 것은 강계로 귀양길에 오른 정철을 만나면서였다. 그는 평소부터 정철의 풍류를 사모해 왔는데 권필은 정철이 유배의 몸임에도 아랑곳하지 않고 그의 친구 이안눌과 함께 중도에 찾아가 만났다. 그러자 정철이 이렇게 반응했다.

"이번 길에 천상의 두 한가한 신선을 얻어 보았다."

그 후로 그의 명성은 세간에 널리 알려졌는데 얼마 가

지 않아 임진왜란이 일어났다. 그는 구용과 함께 글을 올려서 좌우 정승을 참수해 나라의 백성에게 사죄하게 해야 한다고 청하는 글을 올렸다. 그러나 회보는 없었으니 그의 나이 21살 때였다. 그는 자신이 지나치게 뻣뻣하여 세상에 능히 휩쓸리지 못할 것을 알았고 아울러 정철이 죽은 뒤에 정철이 둘러쓴 죄명을 마음 아프게 여겨 다시 과거를 보지 아니했다. 대신 그는 술을 좋아하였고 호수와 바다에 노닐며 당시 정사를 기롱하는 논의와 시를 계속 남겼다.

그리고 마침내 임숙영 책제와 관련된 한 편의 시로 자신에게 화가 미쳤다. 광해군의 노여움이 자신의 몸에 이른 것이다. 광해군은 권필의 그 시를 황혁의 문서 중에서 우연히 보았다. 그리고 그 길로 그를 붙잡아 문초하도록 하였다.

그때 이항복이 광해군을 설득하고자 임금 앞에 나아가 울면서 간했다.

"한낱 경박한 선비의 한때 망령된 시로서 어찌 매질하는 죄형의 명분을 삼겠습니까. 또 그게 역모와 관련이 있는 것도 아닌데 만약 중한 형벌을 시행해 죽기에 이른다면 어찌 거룩하신 덕에 허물이 되지 않겠습니까. 대개 이 시가 무심하게 지은 것은 아니고 풍자하는 구석이 있기는 하지만 또한 어찌 중형감이 되기나 하겠습니까."

그러나 광해군은 듣지 않았다. 책문시에 관련된 시의

내용을 캐물으며 필이 견디기 어려운 곤장으로 죄를 묻고 귀양을 보냈는데 필은 미처 귀양길에 이르지도 못하고 죽었다.

그런데 우연이라고나 할까 그의 이런 죽음을 예견하는 한 편의 시가 있었다.

그가 유배를 떠나던 동대문 밖 객사에서의 일이었다. 머무는 주인집의 배려로 필은 술을 마시는데 그 집의 벽 위에 다음과 같이 적힌 시구를 한 수 보게 된 것이다.

그대에게 한 잔 술 다시 권하노라.
그 한 잔 술 유령[3]의 무덤 위에 이르지도 않으리니
삼월은 다 갔고 4월은 이제 찾아와
복사꽃 어지러이 떨어져 붉은 비 같구나.
勸君更進一盃酒(권군갱진일배주)
酒不到劉伶墳上土(주불도유령분상토)
三月將盡四月來(삼월장진사월래)
桃花亂落如紅雨(도화난락여홍우)

필은 이 글귀를 바라보며 깊이 탄식하였다.
"이는 시참(詩讖)이다. 내가 필시 죽겠구나."
시참(詩讖)이란 무심코 지은 시가 뒷날의 예언으로 맞아

3) 죽림칠현의 한사람이다. 그는 술을 항상 즐겨 마셨으므로 이백이 자신의 시에 위와 같이 썼다.

떨어지는 것을 말한다. 그는 실제로 그 다음날 아침을 맞았을 때 이미 죽어 있었다. 그의 말대로 그의 앞날을 미리 내다본 그 한 편의 시참 때문이었을까. 아무튼 거기에 대한 지봉의 기록은 다음과 같다.

주인이 술로써 대접하였더니 필이 마시고 취했다. 그리고 이튿날 죽었다. 주인은 자기 집의 문짝으로 죽은 그의 시신의 시상을 만들었는바 앞의 이 시 한 수가 바로 그 위에 적혀 있었다. 더구나 때가 마침 3월 그믐께로 주인집 담 밖에는 복사꽃이 반쯤 떨어져 있었다.

그런데 그는 앞의 시참(詩讖)이 아니라도 장차 죽음을 대비한 움직임을 보였다.

감옥에 갇히면서 그동안 자기가 지은 시고를 작은 보자기에 싸서 생질 심모에게 가져다 맡겼다. 다음과 같은 한 수의 절구를 겉면에 적어 남기면서.

평생에 우스개 글귀 즐겨 지어서
세상 사람들의 숙덕거림 불러왔거니
이제부턴 입 봉하고 남은 생을 마치리라
옛적의 성현도 말 없고자 하셨으니.

平生喜作俳諧句(평생희작배해구)
惹起人間萬口喧(야기인간만구훤)
從此括囊聊卒歲(종차괄낭료졸세)
向來宣聖欲無言(향래선성욕무언)

그렇지만 그가 시를 떠나 입을 봉한 채 살고자 했던 그 남은 생이 대체 얼마였던가. 고작 삼일이었을 뿐이다. 그래서 아함경에서는 이렇게 말했는지도 모른다.

평상시의 마음도 특별한 경우를 만나면 흐트러지고 만다. 특별한 경우에도 평상시의 마음을 가지도록 그 방법을 익혀야만 한다. 세상을 살아가는 동안 겪게되는 우리 마음의 힘을 강조하는 한마디라고나 할까?

시를 시로서 느끼기 전에 우리는 마음이 빚어내는 세상 이치의 오묘함을 먼저 자각하게 하는 시의 기능을 문득 생각해 보게 하는 하나의 사례가 아닌가 싶다.

○ 마음으로 느끼는 세상살이의 미묘함 시의 미학

우리가 우리 마음의 다채로운 경계를 인식할 수 있다면 반드시 어떤 격식에 의존한 문장을 집착할 일만도 아닐 것이다. 자유롭고 활달하게 세상을 살아가면서 문장을 지어야 한다면 짓고 그렇지 않아야 한다면 말면 될 일이다. 물론 그게 글짓기 분야에만 한정된 결론이겠는가.

어떻게 보면 세상살이 자체가 그런 것일 수도 있다. 직장 생활도 그렇고, 가정에서도 도리도 마찬가지일 것이니, 그저 사람의 도리를 생각하면 최선은 다하 되 끝내 욕심을 부리면서 억지를 부릴 일은 결코 바람직하다고 말하기가 어렵다. 실제로 우리는 주어진 자기의 생애가 정해졌다고 생각하면 마음의 움직임도 역시 그 틀안에서 벗어나는 게 결코 쉽지가 않다. 그래서 이번에는 고려말의 문신 조운흘의 생애를 중심으로 그의 사람됨을 잠시 돌아보고자 한다.

조운흘(1332~1404)은 고려말 조선 초의 문신이었다.

호는 석간 또는 서하옹이라 했으며 본관은 풍양이었다.

그는 어려서부터 기특하고 담대하여 매사에 얽매이기를 싫어했으며 세상을 따라 영합하지 않았다. 고려 말년에는 세상이 어지러움을 보고 청맹이 되었다 핑계하며 벼슬을 하지 않았다. 조선에 들어서는 계림 강릉 두 곳의 부윤을 지내다가 얼마 지나지 않아 병이 있다고 핑계를 대면서 광주(廣州) 고원촌(古垣村)에 숨어서 나오지 않았다. 좌의정 상락공 김사형이 찾아가 벼슬을 하라고 권하니, 공은 넓은 베적삼에 삿갓을 쓰고 나와 길게 읍하고 말을 한마디도 하지 않았다. 사형이 혼잣말로

"뻣뻣한 이 늙은이의 태도는 지금도 변함이 없구나"

하고 돌아갔다.

공은 날마다 소를 타고 정금 광나루 두 원으로 다니면서 행려객들을 구제하였다. 일찍이 노래를 하나 읊되,

"누른 소를 타고 청산 옆에 누우니, 추하고 추하구나.

그 몸은 베 한 필의 가치도 되지 못하네."

騎黃牛傍靑山醜醜乎(기황우방청산추추호)

其身彩一疋布也不直(기신채일필포야불직)

이라는 내용이었다.

베 한필의 가치로도 느껴지지 않는 존재의 가벼움, 그것은 조운흘 자기 자신인가. 아니면 구제의 대상인 행려객들인가. 역설치고는 묘한 역설이다. 소를 타고 다니며 행려 객들을 구제하는 풍경도 기이하거니와 이보다도 삶에 대한 진실이 선명하기는 도무지 쉽지 않은 표현이다.

그러나 기이하고 역설로 가득 찬 조운흘의 시상은 역시 용재총화의 기록에 나타난 그 자신의 삶에 결코 미치지 못한다.

그는 시절이 장차 어지러워질 것을 알고 환란을 피하고자 미친 사람 흉내를 내며 지냈다. 서해도의 관찰사가 되었을 때는 언제나 "아미타불"을 외었는데 그와 친한 수령 한 사람은 공이 자신의 창밖에 와서 아미타불을 부르면 그 수령은 오히려 "조운흘 조운흘"을 크게 외었다. 그러자 그는 친구에게

"너는 어찌 내 이름을 염불하듯 외우느냐"

라고 물었다. 수령은 태연히 대답하기를 "공은 부처가 되려고 염불을 하니, 내가 공을 부르는 것도 또한 공과 같이 되려고 하는 것이오"

하면서 두 사람은 마주 보며 크게 웃었다.

조운흘은 또 거짓으로 "청맹[눈은 멀쩡하나 앞을 보지

못하는 병]이 되었다" 며 관직에서 물러나 집에 머물렀다. 그러자 그의 첩이 자신의 아들과 서로 놀아나며 늘 눈앞에서 수작을 부렸다. 그럼에도 조운흘은 수년 동안 모르는 척하다가 난리가 진정되고서야 눈을 부비며 자신의 눈병이 나았다며 아들과 사통한 첩을 강에 던져 죄를 물었다. 원래 그가 살던 시골집은 지금의 광진구에 위치해 있었다고 한다. 공은 시골집에 머물며 자은사(慈恩寺)의 승려 종림(宗林)과 가깝게 지냈는데 판교원(板橋院)·사평원(沙平院)을 중건하여 스스로 원주(院主)가 되기도 했다. 그는 원주 노릇을 하면서도 마을 사람들과도 친하게 사귀어 늘 서로 모여 앉아 술을 마시며 잡담을 즐기며 그때마다 시간 가는 줄을 항상 몰랐다. 그러다 하루는 정자 위에 앉아 있을 때였다. 조정에서 쫓겨나 귀양 가는 사람들이 여러 명 강을 건너가는 게 눈에 띄었다.

공은 그 장면을 바라보며 시를 짓기를

낮이 되니 사람 불러 사립문 열게 하고
임정으로 걸어 나가 석태 위에 앉는다.
지난밤 산중에 비바람 거세더니
가득한 시냇물에 둥둥 낙화가 흘러오네"
柴門日午喚人開(시문일오환인개)
步出林亭坐石苔(보출임정좌석태)
昨夜山中風雨惡(작야산중풍우악)

滿溪流水泛花來(만계유수범화래)
라는 내용이었다.

지난밤 산중의 비바람은 조정에 불어닥친 회오리바람이다.

바람에 날려서 둥둥 시냇물에 떠가는 꽃송이들은 귀양길에 오른 사람들의 모습이다.

花無十日紅(화무십일홍) 權不十年(권불십년) 이런 문구를 떠올리게 하면서도 조금도 삭막하지 않은 분위기다. 열려 있는 사립문, 석태 낀 바위의 풍경, 인생에 달관한 자의 여유 같은 게 느껴진다. 이전투구의 권력 다툼도 그의 달관한 안목 앞에서는 한 떨기 스쳐 가는 낙화가 된다.

얼마나 아름다운 느낌의 시적인 음미인가!

○ 마음으로 오가는 세상살이 시를 통한 미학

인생에서 가장 큰 기쁨은 뜻이 맞는 사람을 만나는 일이다. 어떤 일의 성취도, 상처받는 마음을 위로받는 일도 모두가 사람을 만나면서 일어난다.

그야 상처받은 실망감으로 인한 악감정도 예외일 수 있

으랴. 그 역시 자신의 기대가 무너지는 데서 생겨나는 만남의 부정적인 결과일 뿐이다. 하물며 사람 사이에 뜻이 오가는 인물과의 교류일까? 다음에 소개하는 율곡과 퇴계의 만남도 그 가운데 하나다.

율곡은 성주에 그대로 머물러 있다가 해가 바뀐 23세 되던 해에 봄이 오자 강릉으로 외할머니를 찾으러 떠났다. 도중 안동의 도산에 은거하고 있던 퇴계 이황을 찾았다. 퇴계 59세, 율곡 23세였다. 율곡은 아래와 같은 시 한 수로 인사를 올렸다.

시내는 멀리 수사에서 갈라졌고
봉우리는 무이산에서 빼어났다오
살림은 경전 천여 권
행장은 두어 칸 집
가슴은 구름 걷힌 달이고
웃고 말하심에 미친 물결이 그칩니다.
저는 길을 듣고자 찾았으니
한나절 한가로움을 훔치려는 것 아닙니다.

여기서 율곡은 퇴계를 일컬어 수사에서 갈라졌고 봉우리는 무이산에서 빼어났다고 했다. 이는 공맹 학통의 계승자요. 주자학의 발군이라는 평이다. 이 시에 대하여 퇴계는 아래와 같이 화답했다.

내 빗장 닫아걸어 봄을 못 보는 걸 한했더니
그대가 찾아와 내 마음을 신선하게 열어주네
비로소 알겠노니 이름이 공연한 것이 아님을
몸가짐도 변변히 못해 온 내가 부끄럽구려
아름다운 곡식은 화려하게 익은 쭉정이 용납하지 않으며
떠도는 먼지는 잘 닦인 거울을 두고 보지 못한다오
실정에 지나친 시 구절은 모름지기 깎아버리고
애쓰고 노력하여 날마다 학문에 다가가세."

퇴계는 이 총명한 율곡에게 감명을 받고 제자 월천 조목에게 보낸 편지에 율곡은 두뇌가 명석하여 많이 보고 기억하니 후배란 두려운 것이라고 칭찬했다. 율곡은 또 퇴계가 낸 운에 따라 지어 올린 범국[국화를 띄우고]이라는 시를 아래와 같이 짓고 있다.

서리 속의 국화를 사랑하기에
노란 잎 따서 술잔에 가득 띄운다.
맑은 향내는 술맛을 돋구고
수려한 빛 같은 시 창자를 적시니
원량이 늘상 잎을 땄다고 하고
영균이 그 맛볼 줄 알았다고 한들

어찌 그깟 정담이야
시와 술의 만남 같으랴."

이 시에서 퇴계와 율곡이 술상을 놓고 마주 앉아 국화주를 즐기고 있는 모습이 선하게 나타나 있다. 율곡이 이틀을 묵고 하직하면서 퇴계에게 청하니 퇴계는 아래와 같은 글을 써주었다.

사람의 마음가짐이 귀함은 속이지 않는 데 있고
벼슬하여 조정에 서면 공을 세우려 쓸데없는 일 만듦을 삼가야 하리

持心貴在不欺(지심귀재불기)
立朝當戒喜事(입조당계희사)

만남을 위한 기쁨이 후학의 앞날에 길잡이 되어지길 바라는 소회가 자연스럽게 배어 있다. 세상을 살아가면서 국가를 위해서도 필요한 일의 언급이다. 세상을 살고나서 얻어진 결론이 결국 뜻을 단속함에 있음을 엿보게 하는 퇴계의 노파심 어린 한마디였을 것이다.

○ 고결한 마음을 위한 옛사람의 선택 은거!

사람을 결국 뜻을 단속하는 것만이 삶의 전부일 수가 있다. 그래서 우리는 자기 뜻이 지켜질 수도 있다는 믿는 은거를 불쑥 택하기도 한다. 물론 뜻만이 동기는 아닐 수도 있다. 건강상의 이유일 수도 있고 현실적으로 그렇게 내몰린 결과일 수도 있다. 그렇더라도 시간과 돈에 쫓기지 않는 은거는 누구나 항상 꿈꾸는 일의 하나다.

시간에 맞춘 아침 기상 그리고 일터로의 출근, 반복되는 술자리, 그게 즐거운 사람이라도 예외는 아니다. 언제쯤 이런 삶에서 벗어나게 될까? 그래서 그게 심해지면 이렇게 반문하기도 한다.

'이런 삶이 무슨 의미가 있을까?'

결국 품게 되는 생각은 한적한 곳으로의 은거다.

그 뜻을 누군가는 이루기도 하고 그냥 희망 사항으로 지나친 채 인생을 마무리하기도 한다.

시인들이 읊는 이런 내면의 기대치는 매우 다양한 방식과 소재로서 표출되어 나타난다.

기무잠(綦毋潛)의 '봄 약야계에서 배를 띄우고' 라는 시 역시 그 가운데 한 편이다. 당시 300수에 실려 있다.

春泛若耶溪[봄 약야계에서 배를 띄우고]

綦毋潛(기무잠)

은거해 살고 싶은 마음 끊임이 없어
이렇게 흘러가는 대로 따를 뿐이네
저녁 바람 떠 가는 배에 불어오니
꽃길 따라 약야계(若耶溪) 입구로 들어서네
밤이 되어선 찾아든 서쪽 계곡에서는
산 너머 남두성이 바라보이는데
물안개 가득 피어오르고
숲속의 달은 떠가는 배 뒤로 잠겨 사라져 간다
세상살이 또한 막막하니
낚시질하는 노인이 되고 싶어라

幽意無斷絶(유의무단절) 此去隨所偶(차거수소우)
晚風吹行舟(만풍취행주) 花路入溪口(화로입계구)
際夜轉西壑(제야전서학) 隔山望南斗(격산망남두)
潭煙飛溶溶(담연비용용) 林月低向後(임월저향후)
生事且瀰漫(생사차미만) 願爲持竿叟(원위지간수)

제목에서 해석한 대로 범(泛)은 물에 떠 있는 배를 묘사하는 글자다. 배경은 지금의 절강성(浙江省) 소흥현(紹興縣) 남쪽 약야산(若耶山)의 골짜기다. 기무잠(綦毋潛)은 약야계의 골짜기를 찾아서 배에 몸을 맡기고 흘러가는 대로 노닐게 된다. 꽃이 활짝 피어나 있는 약야계 입구를 거쳐 밤이 되었을 때는 멀리 남두성이 바라보이는 서쪽 계곡에 다다라 있다. 그러나 시간이 지나면서 물안개만이 자욱한 그곳에서는 숲속의 달마저 떠가는 배 뒤로 잠겨 사라져 보이지 않게 된다. 자신의 막막한 현실을 교묘하게 암시하고 있는 시상의 전개다.

은거하여 살아가려는 삶에 대한 내면의 바람이 교묘하게 드러나 있다.

필자의 이 같은 바람은 첫 구절의 '유의(幽意)' 라는 시구에서부터 이미 뚜렷하게 드러난다. '유의(幽意)' 는 은거하여 살아가고 싶은 마음의 표현이다.

기무잠(綦毋潛)은 낚시하는 노인의 한가로운 모습에서 자신의 감정을 노골적으로 드러내 보인다. 아마 근처의 부춘강(富春江)에서 은거하며 낚시질로 소일했다는 엄자릉(嚴子陵)을 염두에 둔 마음의 반영이지 싶다.

그는 현종(玄宗) 개원(開元) 13년(725) 진사가 되어 저작랑(著作郞) 등을 역임했다. 그러나 병란(兵亂)을 당해 강동(江東)으로 은거하였다. 참고로 이 시의 배경이 되는 약야계의 물줄기는 북쪽으로 흘러 경호(鏡湖)로 합쳐지는데 서시(西施)가 그곳에서 비단을 빨았다고 하여 완사계(浣紗溪)로 불리는 곳이다.

이런 이유만으로도 맑고 탈속한 이미지를 연상하기에

조금도 모자람이 없는 내용의 시다.

기무잠(綦毋潛692~749)의 자(字)는 효통(孝通) 또는 계통(季通)이며, 남강(南康) 출신이었다.

유사한 예로는 상건(常建708~765)의 시도 한 편 있다.

은거에 대한 내면의 바람은 오히려 기무잠보다 간절하다.

그래서 읊는 시가 왕창령에 의탁한 다음의 시다.

제목은 '왕창령의 은거지에서 묵으며' 이다.

宿王昌齡隱居[왕창령의 은거지에서 묵으며]

맑은 시내의 깊은 근원은 헤아릴 수가 없고,
그대가 은거했던 이곳엔 오직 외로운 한 조각 구름뿐
소나무 사이로 초승달 떠오르니
맑은 달빛은 오히려 그대를 위하는 듯
띠로 이은 정자에는 꽃 그림자만이 일렁이고
약초를 심었던 뜰에는 푸른 이끼만 무성하네
나도 時俗(시속)을 떠나 서산으로 와서
청난과 백학을 타고 노니는 신선과 짝하고 싶네.
淸溪深不測(청계심불측) 隱處唯孤雲(은처유고운)
松際露微月(송제로미월) 淸光猶爲君(청광유위군)
茅亭宿花影(모정숙화영) 藥院滋苔紋(약원자태문)

余亦謝時去(여역사시거) 西山鸞鶴群(서산란학군)

상건의 눈에 비친 왕창령은 분명히 감흥을 불러오는 인물이었다.

칠언절구(七言絶句)에 뛰어나 후인들에게 '칠절성수(七絶聖手)'라고 불리던 명성의 소유자인 왕창령이었다. 관직에 몸을 담고 있는 동안은 삶이 그다지 순탄하지 못했다. 고결한 뜻을 고집했기 때문이다. 상건은 그의 이런 면을 깊이 기리고 있다. 그 점은 자신도 마찬가지여서일까? 30년의 관직 생활 동안 10여 년을 죄인으로 핍박받던 세월이 떠오름은 어쩔 수 없는 일일 것이다.

30대 후반에야 관직에 올랐던 왕창령은 크게 쓰이지도 못했다. 거기에 안사의 난을 피해 찾아간 장강(長江)과 회수(淮水) 일대에서 알 수 없는 이유로 호주자사(濠州刺史) 여구효(閭丘曉)에게 피살되기도 한 그의 생애였다. 다행스럽게도 영남(嶺南)으로 물러나 지내면서 시작된 왕지환(王之渙), 고적(高適), 잠삼(岑參), 왕유(王維), 이백(李白) 등과의 교류가 그에게 위안이라면 위안일 수도 있었다.

그가 노래한 '변새(邊塞)', '궁원(宮怨)', '규원(閨怨)', '송별(送別)' 등의 시는 그의 드날리는 명성에 알맞다는 평을 받는다.

부당한 핍박에도 자기의 고결한 뜻을 꺾지 않았던 왕창

령의 자취, 그것을 회상하는 상건의 시다.

그 자신도 왕창령처럼 시속을 떠나 서산으로 와서 청난(青鸞)과 백학(白鶴)을 타고 노니는 신선과 짝하고 싶은 마음, 누구나 한 번쯤 꿈꿔보는 삶이다. 이는 세상이 번거롭기 때문만이 아니다. 고결한 뜻을 간직하고서 주어진 생을 마무리하고 싶은 내면의 목소리에 끌리기 때문이다.

이런 상건의 기대는 시구 안의 다음 문구들을 통해서도 쉽게 확인이 된다.

청계(淸溪), 청광(淸光), 青鸞(청난)과 白鶴(백학)

고결한 뜻을 갈망하는 상건의 이 같은 은거와 달리 어쩔 수 없는 자신의 무력감이 한 편의 시로 표출될 때도 있다. 세상의 부조리한 현실을 자기로서는 어떻게 해볼 수도 없는 데서 오는 마음의 무력감, 거기에는 당연히 그런 상황을 향한 마음의 분노도 함께 곁들여 있을 때가 대부분이다.

다음에 소개하는 원결도 그런 예의 하나다.

당(唐)나라 대종(代宗) 광덕(廣德) 원년(元年:763), 원결의 나이 41세 때의 일이었다. 원결은 마침 도주자사(道州刺史)를 맡아 생활하고 있었다. 인근 지역에 도적이 일어났고 도적이 물러나고 나자 이번에는 조정에서 파견된 관료들의 세금 착취가 지나치게 가혹했다.

원결은 이를 참지 못하고 시로서 그 부당함을 다음과 같이 상기시키고 있다.

태평했던 시절엔 산림 속에서 이십여 년을 보냈지요
샘은 뜨락에 있었고 깊은 계곡도 문 앞에 있었으며
세금에도 정해진 기한이 있어
해가 높이 솟아도 오히려 잠을 자기도 했었지요
갑자기 시절이 변해 수년 동안 병란을 겪고서
지금 맡은 이 고을 산적들로 인해 또 어지러웠되
그나마 마을이 작아 도적들의 해는 입지 않았으니
가난하고 상처 입은 백성들이 가련해서였겠지요
이에 이웃 지역은 피해가 컸지만
이 고을만은 홀로 온전할 수 있었다오
사신들은 왕명을 받들면서 어찌 도적보다 못한지
세금 걷는 저 관리들 백성 핍박하길 불에 콩 볶듯 하니
누가 사람 목숨 해치고서 어진 사람 될 수 있으리까
생각 같아선 부절 버리고 상앗대 가지고 홀로 배 저어
가족과 함께 곡식과 해산물 풍성한 곳으로 가
물가에서 만년을 보내고 싶을 뿐이네

昔歲逢太平(석세봉태평) 山林二十年(산림이십년)
泉源在庭戶(천원재정호) 洞壑當門前(동학당문전)

井稅有常期(정세유상기) 日晏猶得眠(일안유득면)
忽然遭世變(홀연조세변) 數歲親戎旃(수세친융전)
今來典斯郡(금래전사군) 山夷又紛然(산이우분연)
城小賊不屠(성소적부도) 人貧傷可憐(인빈상가련)
是以陷隣境(시이함린경) 此州獨見全(차주독견전)
使臣將王命(사신장왕명) 豈不如賊焉(개부여적언)
令彼徵斂者(영피징감자) 迫之如火煎(박지여화전)
誰能絶人命(수능절인명) 以作時世賢(이작시세현)
思欲委符節(사욕위부절) 引竿自刺船(인간자척선)
將家就魚麥(장가취어맥) 歸老江湖邊(귀로강호변)

도적들조차 비껴간 작은 마을이었다. 그러나 조정의 관리들은 오히려 가혹하다. 왕명을 받들고 내려온 사신들답지 못하다. 세금을 거두는 게 도적들보다 심했다. 그런 상황을 지켜보는 자기로서는 괴로운 노릇이었다. 고을을 다스리는 부절마저 팽개치고 싶은 마음이 드는 원결이다. 힘없는 백성들을 위해 할 수 있는 게 아무것도 없었다.

그래서 간절해지는 태평스럽던 시절의 옛날 생각이다.

이십 년쯤의 기억이다.

샘이 집안 뜨락에 있었고 깊은 계곡도 바로 문 앞에 있었다. 세금은 정해진 기한이 있어 해가 중천에 뜬 늦은 시각까지 마음 편히 잠을 잘 수도 있었다.

그런데 세상이 어지러워지면서 겪게 된 도적들의 노략질이었다. 그리고 닥친 맞이하는 관료들의 세금 징수였다. 가난하고 상처 입은 백성들에겐 감당하기 어려운 수준이었다.

당시 원결의 나이는 42세(764)였다. 도주자사(道州刺史)를 맡고 2년째 되는 해였다. 그는 조정의 관리들을 향해 이 한 편의 시로서 항의하며 분노하고 있다.

이와 같은 시가 쓰이게 된 앞뒤 배경은 그가 직접 남긴 다음의 기록으로도 이미 확인이 된다.

계묘년(癸卯年)에 서원(西原) 지역 도적들이 도주(道州)로 쳐들어와 불을 지르고 살상과 약탈을 자행하여 지방을 초토화 시킨 뒤 물러갔다. 이듬해 도적들이 또 영주(永州)를 공격해 소주(邵州)를 파괴했는데 그 고을의 주변 지역은 침범하지 않고 물러갔다. 어찌 적을 힘으로 제압한 덕이겠는가. 적들이 보잘 것 없는 고을을 가엾게 여긴 덕분이었다. 그런데 조정의 관리들은 이다지도 잔인하기만 하니 거두는 세금이 너무나 혹독하다. 그러므로 시 한 편을 지어 관리들에게 보이는 것이다[癸卯歲, 西原賊入道州, 焚燒殺掠 幾盡而去 明年 賊又攻永破邵 不犯此州邊鄙而退 豈力能制敵歟 蓋蒙其傷憐而已! 諸使何為忍苦徵斂 故作詩一篇以示官吏].

동시에 세금에 시달리는 백성들의 참혹한 현실은 용릉행이라는 시에 매우 자세히 드러나 있다. 거기에는 굳이 해설을 덧붙일 것도 없다.

○ 용릉의 노래 舂陵行(용릉행)

軍国多所需(군국다소수) 전쟁하는 나라엔 세금도 많은데
切責在有司(절책재유사) 절실한 책임은 관리에게 있으니
有司臨郡縣(유사임군현) 관리는 고을에 임하여
刑法竞欲施(형법경욕시) 마침내 형법을 적용하고자 한다
供給豈不憂(공급기불우) 세금 바치기 근심되지 않으랴만
征斂又可悲(정렴우가비) 세금 거두는 마음도 비참하니
州小經亂亡(주소경란망) 작은 고을이 변란을 겪어
遺人實困疲(유인실곤피) 살아남은 사람도 실로 고달프다
大鄉无十家(대향무십가) 큰 마을에 열 집도 없고
大族命單羸(대족명단영) 큰 집안조차 형편 외로우니
朝餐是草根(조찬시초근) 아침에는 풀뿌리 씹고
暮食仍木皮(모식잉목피) 저녁에는 나무껍질 먹는다

出言氣欲绝(출언기욕절) 말을 하자니 기운이 끊어질 듯

意速行步遲(의속행보지) 마음은 바빠도 걸음이 더디다

追呼尚不忍(추호상불인) 재촉하기도 차마 하기 어려운데

况乃鞭扑之(황내편복지) 더구나 이들을 채찍질해야 하니

郵亭傳急符(우정전급부) 말 몰아 전해오는 다급한 명령

来往迹相追(래왕적상추) 오가는 자취 서로가 뒤따른다

更无寬大恩(경무관대은) 도무지 너그러운 은혜란 없고

但有迫促期(단유박촉기) 다만 기일을 재촉할 뿐이다

欲令鬻兒女(욕령죽아녀) 어린 애들을 팔도록 할까?

言發恐亂隨(언발공란수) 그러면 난동이 일어나겠지

悉使索其家(실사색기가) 집안을 샅샅이 뒤지게 할까?

而又无生资(이우무생자) 아 살아나갈 양식도 없을 걸

听彼道路言(청피도로언) 저 길에 떠도는 말을 들어보라.

怨傷誰复知(원상수복지) 원망과 한탄을 누가 또 알겠나?

去冬山賊來(거동산적래) 지난 겨울에 도적들이 와서,

殺奪几无遺(살탈궤무유) 죽이고 빼앗아 남은 게 없다.

所愿見王官(소원견왕관) 원하는 바는 왕과 관료들의

撫養以惠慈(무양이혜자) 위로와 은혜를 기대했건만

奈何重驅逐(내하중구축) 어찌하여 거듭 다그치면서,

不使存活爲(불사존활위) 목숨 보존함도 어렵게 하는가?

安人天子命(안인천자명) 백성을 편안케 함이 천자의 사명인데,

符節我所持(부절아소지) 관료의 부절은 내가 지녔으니

州縣忽亂亡(주현홀난망) 고을이 문득 어지러워지면
得罪復是誰(득죄부시수) 죄를 얻는 사람 누구인가?
逋緩違詔令(포완위조령) 기한을 늦춤은 명령에 어긋나니
蒙責固其宜(몽책고기의) 책망을 당해도 마땅한 일이다
前賢重守分(전현중수분) 옛사람이 일렀으되 진중하게 분수를 지키고
惡以禍福移(악이화복이) 화복에 마음 변하지 말라 하며
亦云貴守官(역운귀수관) 또 말하기를 관직을 지키어
不愛能适时(불애능괄시) 세상사에 마음 동하지 말라고.
顧惟孱弱者(고유잔약자) 힘없고 약한 자를 돕는 것만이
正直当不虧(정직당불휴) 마땅히 해야 할 나의 직분이다.
何人采國風(하인채국풍) 누가 국풍을 채집하는가?
吾欲献此辭(오욕헌차사) 나는 이 말씀을 바치고 싶다.

원결(元結719~772)의 자(字)는 차산(次山), 호는 만수(漫叟)로서 노산인(魯山人)이었다. 안사(安史)의 난에 주목할 만한 전공을 세웠으며 저서로 《원차산집(元次山集)》이 있다.

○ 고결한 마음의 힘 규암의 기적

자신의 선택 때문이 아닌 옛사람의 은거는 규암 송인수에게서도 보인다.

그는 관직을 삭탈 당하고 청주 시골로 돌아가야 할 때가 있었다. 이황은 시를 지어 그의 낙향을 다음과 같이 위로하였다.

규암은 옛적 세속에 머물 때도
조출한 행동거지 세속 사람 같지 않았네
이제 청주로 돌아가 농사짓기 배운다니
청주 땅에 곡식 익어 고야[4]에서와 같으리라.
어찌 영화나 욕됨을 그대 마음에 들이리요.
한 그릇의 밥에 한 표주박의 물을 즐기던 안자를 본받겠지
내 듣건대 천하에 지극한 즐거움이 있으니
금도 아니요 돌도 아니며 비단이나 대나무 같은 음악도 아님이요.
뜻을 같이하던 사람 나와 맞지 않을 때

---

4) 장자에 나온다. 그곳은 선인이 살던 곳으로 선인이 살므로 그곳에 풍년이 든다고 한다.

홀로 묵은 책 벗 삼아 세상 시비 덮는 것일세.

圭菴昔在風塵中(규암석재풍진중)

瀟灑不作風塵客(소쇄불작풍진객)

今歸淸州學耕稼(금귀청주학경가)

淸城穀熟如姑射(청성곡숙여고사)

肯將榮辱入靈臺(긍장영욕입영대)

一簞一瓢師顔回(일단일표사안회)

吾聞天下有至樂(오문천하유지락)

非金非石非絲竹(비금비석비사죽)

同志之人與我違(동지지인여아위)

獨抱塵編荒是非(독포진편황시비)

서로 나이는 달랐지만 마음으로 동지 같이 느끼던 송인수가 이황으로서는 부럽고 또한 아쉬웠으리라. 송인수의 사람됨이 세상의 속된 기운에 전혀 물들지 않았음을 알고 있기 때문이다.

이는 세간에서 전해오는 송인수 평에 자세히 드러나 있다.

송인수는 사람됨이 착한 것을 좋아하고 학문을 즐기어 주위 사람들의 많은 존경을 받는 쪽이었으며 여색을 멀리하는 탈속한 이미지는 더러 감복하는 사람들도 있었다. 다만 그는 당시의 높은 명망에도 불구하고 한 사람의 착하기만 한 선비였을 뿐 정치적인 역량은 기대만큼 못 미쳐 다른 사람에게 여러 번 속았고 시국의 정세보다는 옛적 하은주(夏殷周) 삼대의 사업만을 앞세우는 안타까움이 없지는 않았다고 평하기도 한다. 그래서 그는 세상 사람들로부터 어리석은 군자로 간주 되기도 했는데 이는 그의 사람됨이 그만큼 정직하고 불의와 타협을 모르는 데서 오는 일종의 역설적인 표현이었다.

이를테면 그 좋은 예화 중의 하나가 조정의 중신들에 대한 그의 탄핵하는 자세였다. 그는 다만 사람의 됨됨이나 직책만을 염두에 두고 도리를 따질 뿐 상대방의 조정내 세력이나 자기 자신의 이해관계를 돌보지 않았다.

그래서 김안로가 다시 권세를 잡았을 때도, 인종의 외척인 윤임이 형조판서가 되었을 때도, 주위 사람들의 만류는 아랑곳하지 않고 그들을 등용하는 일에 대해 강력히 탄핵을 개진했다. 그로 인해 송인수는 집권 세력에게 배척을 당하면서 지방의 수령으로 좌천당하는 수모를 겪기도 했다.

이와 같은 처신으로 인한 송인수의 시련은 윤원형이 공조 참판에 오르면서 정점을 이루었다. 사람들은 그가 윤원형을 적극적으로 탄핵하고 나서자 이를 다음과 같이 말렸다.

“승정원의 도승지가 가선에 오르는 것은 보통이고 또 공조 참판의 자리가 그리 귀한 것도 못 되는데 어찌 원형이 그 자리에 가는 것을 그렇듯 안 된다고 고집을 부리는가? 자네가 그런다고 해서 저 사람의 출세에 지장을 주지도 못할 것이니 쓸데없이 화의 씨를 자초하지 말게나.”

그러나 공은 자신의 주장을 꺾지 않았다.

“이런 사람을 어떻게 재상의 반열에 둘 수가 있단 말이냐.”

결국 이 같은 그의 강직함은 을사사화 후의 정미년 벽서 사건을 계기로 화를 입었다.

우리는 사람이 맑기를 바라고 또 지혜롭기를 바란다. 그러나 성품이 맑고 고결해도 현실에서의 융화를 생각하면 막연해진다. 어디까지 타협하며 어디까지 선을 지킬 것인가. 자기의 맑은 뜻을 고집해서 자칫 사람의 국량이 협소하다는 평까지도 마다하지 말아야 하는가? 혹은 지혜롭지 못해 경박하고 아둔하다는 평까지도 개의치 않아야 할 것인가? 아무리 지혜로운 자라도 중용의 묘를 자기의 행적에서 얻기는 그만큼 어려운 게 우리 인간의 묘한 세상살이다.

아무튼 문헌에 의하면 죽음에 얽힌 규암의 행적은 매우 특이하다.

송인수가 결국 사약을 받던 날이었다.

집안사람들은 그가 사약까지 받게 되리라고는 미처 짐작조차 하지 않고 있었다. 그런데 집 안 조상들의 위패를 모셔 놓은 신주의 방안에서 각각(閣閣)거리며 문설주를 긁어대는 소리가 들려왔다. 식구들은 이해하기 어려운 현상에 이끌려 그 안을 살펴보았다. 소리를 내는 곳은 규암의 아버지 신주였다. 그 신주는 본래 놓인 자리에서 밑으로 내려와 창문 밑에 이른 뒤 머리로 벽을 두드려 가며 아주 절박한 분위기를 연출해 내고 있었다.

그리고 의금부 도사인 금오랑이 사약을 가지고 규암의 유배지로 떠났다는 소식이 들려왔다. 당시 유배 중이던 송인수의 벼슬은 참판으로 자호가 미수다.

○ 옳다고 믿는 마음의 길, 길재의 낙향

길재의 낙향은 동기가 규암하고는 많이 다르다.

길재의 은거는 두 왕조를 섬기지 않겠다는 자기 안의 굳은 뜻을 따른 결과이기 때문이다.

길재는 고려가 멸망하고 경남 선산의 금오산 밑으로 내려와 살았다. 조선에서는 그를 아까워하여 조정으로 불러들이고자 예(禮)로서 대했으나 그 뜻을 굽히지 않았다.

공은 시골에 묻혀 살면서 고을의 여러 생도를 모아 두 칸의 재실로 나누어 양반의 자제들은 상재로 삼고, 신분이 낮은 가문의 아이들은 하재로 삼아, 경(經)과 역사를 가르치고 부지런하고 나태한 결과를 근(勤)과 타(惰)로 평가하는데 그 밑에서 글을 배우는 학동들이 하루에도 백수십 명에 이르렀다.

공은 그곳에 머물러 학동들을 가르치며 다음과 같은 한거시(閑居詩)도 지었다.

차갑고 맑은 샘물에 낯을 씻고
무성한 숲에 몸을 기대 의지한다.
어린 동자들 찾아와 글을 물으니
그로 더불어 소요함도 좋구나."
盥手淸泉冷(관수청천냉) 臨身茂樹高(임신무수고)
冠童來問字(관동래문자) 聯可與逍遙(연가여소요)

또 다른 시에는

시냇가 초가살이 혼자사는 한가로움
달밝고 바람 맑아 흥취가 넘친다네
바깥 손은 오지 않고 산새와 벗하니
대밭 언덕 평상 위에 누워서도 책이라오."
臨溪茅屋獨閑居(임계모옥독한거)

月白風淸興有餘(월백풍청흥유여)
外客不來山鳥語(외객불래산조어)
移床竹塢臥看書(이상죽오와간서)

매헌은 공의 화상에 대한 찬에서,

사람마다 도가 있겠으나, 우뚝 빼어난 사람은 찾기 드물다.
오직 우리 길 공만은 그와 거의 가까우니
조정의 높은 벼슬과 장수의 위세마저
뜬구름같이 보고 돌아가 은거하니,
뽕나무와 재나무 열 이랑에 초가집과 사립문이요,
책 가득한 방 한 칸에 높은 갓과 넓은 옷이로다.
어허 주나라 덕 성하기가 하늘과 같아
수양산의 고사리 뜻던 일 캐묻지 않았고
한조의(광무제) 일어남에도 역시 양 갖옷을 낚싯대에 묻었으니 (엄광이 은거한 고사)
천여 년 지난 오늘에도 어긋남 없는 그 이치에 미칠 줄이야.
人固有道(인개유도) 挺生者希(정생자희)
惟我吉公(유아길공) 其殆庶幾(기태서기)
珪組之榮(규조지영) 斧鉞之威(부월지위)
視如浮雲(시여부운) 高蹈而歸(고답이귀)

桑梓十畝(상재십무) 茅屋柴扉(모옥시비)
圖書一室(도서일실) 嵬冠褒衣(외관포의)
噫周德之如天兮(희주덕지여천혜)
不問西山之採薇(불문서산지채미)
暨漢祖之中興兮(기한조지중흥혜)
亦放羊裘於釣磯(역방양구어조기)
迄今千餘載兮(흘금천여재혜)
信此心此理之無違(신차심차리지무위)
라고 그의 기상을 읊어 기렸다.

이 찬에서 매헌은 엄광이 한나라의 간의대부 벼슬을 마다하고 자신의 지조를 지키고자 양 갖옷을 입고 성명을 고치고 초야에 묻혀 산 고사에 길재의 행적을 비긴 칭송이다.

왕조가 바뀌면서 사람의 도리를 따르려던 길재의 은거, 그것은 어쩌면 후학을 가르치는 즐거움으로 인해 더욱 뜻있게 여겨졌을 수도 있다.

배우고 때로 익히는 즐거움!

공자도 그것을 논어에서 가장 첫머리에 내세웠다는 사실이 이런 추정을 뒷받침한다.

배우고 때로 익히면 기쁘지 아니한가?[學而時習之 不亦說乎]

벗이 멀리서 오면 또한 즐겁지 아니한가.[有朋 自遠方來

不亦樂乎]

남이 알아주지 않아도 성내지 않으면 또한 군자가 아니겠는가![人不知而不慍 不亦君子乎]

배우고 익히는 즐거움, 하늘의 이치를 이야기할 수 있는 친구와 만나는 즐거움, 남이 알아주지 않아도 하늘의 이치를 가슴에 품고 살아가는 즐거움.

공자가 말한는 인생의 3가지 즐거움이다.

그것은 주역에서도 강조하는 세상살이의 가장 큰 기쁨이다. 더구나 그런 정신 그런 호연지기를 공유하는 대상들이 한창 생각의 뼈대를 키우고 있는 젊은 후학들이다. 길재가 아닌 그 누구라도 관료로서의 삶 못지않게 즐거웠으리라.

○ 마음의 긍지를 높이는 세상살이의 지혜

배우고 익히는 즐거움을 말하게 되면 나로선 고전을 연상하지 않을 수 없다. 고전(古典)이란 그 뜻이 오래된 옛사람들의 문헌을 가리키는 개념이다. 수천 년 세월이 지난 오늘날에도 사람들 사이에 회자 되면서 읽히고 있다는 것은 그만큼 그 책의 가치를 신뢰하고 있다는 뜻이기 때문이다. 그렇다면 우리가 그 같은 문헌에 마음을 붙임은 그 자체만으로도 이미 마음의 평온을 보장받는 게 된다.

생각만 일으키면 온갖 근심 걱정이 밀려드는 일상적인 관심사들과는 달라도 뭔가 다르게 되어 있다. 수천 년 전에도 그렇게 살아야 하고, 수천 년 뒤에도 그렇게 살아야 하는 인간의 오래된 정신! 그것을 그런 유형의 문헌에서 터득하는 일은 그 다음의 문제다.

이는 흡사 기신론의 대치사법(對治邪法)과 비슷한 맥락이다.

짝 대(對), 다스릴 치(治), 사특할 사(邪), 법 법(法).

고통이 생겨나게 하는 사특한 법을 짝이 되는 쪽으로 눈을 돌려 다스리는 방법이다. 경험해 본 사람이면 누구나 수긍하겠지만 그 가운데 하나가 옛사람의 오래된 고전에 자기 마음을 붙이는 방법이다. 그렇게 되면 나와 내 것 따위의 부질없는 자존심 따위를 앞세웠을 때의 고통은 자신도 모르게 밀려나게 된다. 거창하게 본래 실체가 없는 우리 마음의 신비로움이라거나 연기법(緣起法)에 기초한 공(空) 도리 따위의 개념을 끌어올 이유도 없다.

그리고 현실 속에서 그런 교설은 어디까지나 추상적인 이미지가 강하다.

그보다는 나도 남도 마음이 함께 따뜻해지는 구체적인 처세법이라야 더욱 좋다. 그것이 어느 면에서는 남의 단점이 아닌 장점에 주목하는 삶의 지혜다.

이는 우리가 자신의 긍지를 한없이 높이며 살아가는 세상살이의 가장 단순한 처세술이기도 할 것이다.

그렇기에 공자의 가르침은 분명하다.

자기 자신을 방어하려는 소극적인 사고가 아닌 나와 남 모두의 긍지를 높여주는 적극적인 삶의 요구 바로 그것뿐이다.

어느 날 자공이 공자에게 다음과 같이 처세의 도를 물었을 때 일이다.

가난하되 아첨하지 않고[貧而無諂]

부유하되 교만하지 않으면[富而無驕]

어떻겠습니까[何如]

공자의 대답은 분명했다.

옳은 생각이다[可也]

그러나 가난하면서도 (하늘을) 즐거워하고[未若貧而樂]

부유함에도 예를 좋아함만 못할 것이다[富而好禮者也].

매우 단순해 보이면서도 고차원적인 가르침이다. 세상을 살아가는 마음의 안목이 어디에 맞추어져 있어야 하는가를 분명하게 일깨워주는 공자의 한 말씀이다.

아마 이런 유형의 공자 가르침은 사람을 마주하는 관계의 측면에서도 분명히 고려해야 하는 항목의 하나는 아닐까? 언제 어느 자리에서나 매사에 사람의 장점을 주목해야 한다고 믿는 나로서는 항상 염두에 두고 싶은 성인의 가르침이다.

○ 다양한 장점으로 발휘되는 우리 마음의 묘한 움직임

우리 마음의 힘은 진실로 묘하다. 아무리 볼품없는 인물이라도 하나의 장점은 가지고 태어나게 한다. 대표적인 사례로는 기록으로 남아 있는 공석과 김순명이 있다.

성현에 의하면 조선 초기에 활동했던 인물들 가운데 사람들의 스승이 될만한 사람들로 꼽는 부류가 있다.

맨 처음 그는 양촌과 매헌 두 형제를 꼽고 다음으로 황현 윤상 김구 김말 김반 등을 열거한다.

그리고 계속해서 언급하는 이들들 가운데 정자영 구종직 유희익 유진과 함께 공석이 있다.

그 가운데 공석(孔碩)은 기질이 익살스러워서 입담이 좋았다. 대신 글 짓는 일은 사소한 편지 한 구절도 제대로 엮지를 못했다. 그런 그가 일찍 남의 편지를 받아 보고 자기 생각을 글로 엮는 데는 한계를 느끼며 곤혹스러워하였다. 마침 이를 곁에서 보고 있던 생원 김순명이 그의 말을 입에서 나오는 대로 글로 옮겨 적었다.

그리고 그 엮어진 문장을 다시 읽어보니 그대로 한편의 빼어난 글귀였다.

공석은 이를 보고 감탄하면서

"자네의 학문은 나에게 배운 것인데, 자네는 풀어쓰는 재주가 비상하고 나는 그렇지 못하니 참으로 순자가 말하는 청출어람(靑出於藍) 그대로일세"

라고 극찬했다고 한다.

사람에게는 그 사람 특유의 장기가 있다. 어떤 사람은 변재가 뛰어나고 어떤 사람은 글솜씨를 알아줄 만하다. 그 중 어느 한 가지를 취해서 사람의 됨됨이를 평하고 비교한다는 것은 도무지 어리석은 일이다. 공석이 김순명의 글재주를 극찬하고 김순명이 공석에게서 배웠으니 공석의 글솜씨 또한 김순명을 능가해야 할 법하지만 실제로는 그렇지 못했으니 김순명이 공석에게서 배운 학문은 도대체 어떤 것이었을까? 공석의 정신, 아니면 고전에 대해 해박한 지식, 나는 이 고사에서 내 주변 사람을 바라보는 평소의 눈길에 대해 음미해 보게 되는 것이다. 이는 시인의 눈으로 바라보는 세상의 지혜를 다루려고 생각하면서부터 해 보던 하나의 문제의식이다.

사실 우리에게 있어서 문장은 생각을 담아내는 수단에 지나지 않지만 그렇다고 소홀히 대해도 좋은 영역은 아니다. 잘 된 문장, 표현이 아름답고 울림이 깊은 문장은 그 안에 담긴 내용 못지 않게 중요한 법이다.

그래서 구양수는 글쓰기의 포인트가 많이 읽고[多讀] 많이 생각하고[多思] 많이 써보기[多作]를 강조하는 삼다(三多)였다.

○ 뜻이 아름다운 사람의 학문

대인 곧 뜻이 아름다운 사람의 도는 첫째가 하늘로부터 부여받은 아름다운 덕성 즉 명덕(明德)을 밝히는 데 있고, 둘째는 그것을 바탕으로 사람들과 소통하는 데 있으며 셋째는 이 두 항목을 자기 삶의 일상에서 지고 지선한 상태로 유지해 가는데 있다.

본인의 또 다른 정리물에서 끌어온 글이다.

내용이 학문하는 이유와 구체적인 방법론을 기술하고 있으므로 여기에 다시 그곳의 전체적인 글을 소개하기로 한다. 물론 초점은 마음의 묘한 힘을 활용하는 옛사람들의 방법론을 이해하기 위함이다.

옛사람들은 먼저 나이에 따른 단계별 교육 과정을 다음과 같이 밟아나갔다.

사람이 자라 여덟 살이 되면 모두 소학(小學)을 배웠다.

소학에 대한 옛사람들의 관심은 삶의 본질을 거기에서 찾고 있다는 점이다. 왜냐하면 사람으로서 근본 도리란 결국 세상을 살아가는 일상적인 예의범절 그것을 떠나 있지 않다고 보았기 때문이다. 그래서 물 뿌리고 소제하며 어버이를 모시고 어른을 공경하며 스승을 높일 줄 알고 벗과 더불어 사귀는 도리에 소학의 초점은 맞추어진다.

이를 옛사람들은 쇄소응대진퇴지절(灑掃應對進退之節) 및 애친경장융사친우(愛親敬長隆師親友)라는 개념으로 압축해 표현했다. 그리고 이런 도리가 세상을 살아가는 인간의 근본 가르침이 된다고 여겼는데 이는 당연히 사소하지만 의미가 매우 깊다. 왜냐하면 그때의 모든 덕목들은 성인들의 덕스러운 삶과 하늘의 마땅한 법도를 바탕으로 전체가 구성되어 있기 때문이다.

다음에 열다섯이 되면 비로소 사서삼경(四書三經)을 배우기 시작했다. 그 내용은 대략 다음과 같다.

먼저 대학(大學)이다. 대학(大學)은 글자의 뜻 그대로 뜻이 큰 사람이 익혀야 하는 형태의 학문이다. 내용의 핵심은 삼강(三綱)과 8조목(條目)에 있다.

그 가운데 삼강(三綱)이란 인간의 성숙을 위해 필요한 세 가지 벼리가 되는 가르침이다. 구체적으로 열거하면 첫째가 명명덕(在明明德)이며, 둘째가 친민(親民)이고, 셋째는 지어지선(至於至善)이다.

다시 그때의 삼강을 실현하고자 하면 다음의 8조목이 필요하다.

이곳의 8조목이란 격물(格物) 치지(致知) 성의(誠意) 정심(正心) 수신(修身) 제가(齊家) 치국(治國) 평천하(平天下) 여덟 가지 조목을 일컫는다.

그럼 그 의미체계는 어떻게 이해해야 할까? 스스로 사

물을 삼강(三綱)에 입각한 올바른 눈으로 바라보고, 거기에 입각하여 뜻과 마음을 올바르게 가지며 자기 자신의 덕을 닦아서, 그 덕을 바탕으로 가정에 임하고 나라와 천하의 태평함으로 미쳐가게 해야 한다는 논리 구조다.

두 번째는 중용(中庸)이다. 대학 공부만으로는 뭔가 공부의 의미가 부족하다. 오히려 지적인 감수성만 발달한 뿐 마음공부에 대한 효과는 크지 못하기 때문이다. 이를 보완하고자 대학 다음에 중용을 배웠다.

중용의 내용은 안으로 정신을 집중하기 위한 가르침이 중심을 이루고 있다.

천명지위성(天命之謂性-하늘이 명한 것을 성(性)이라고 일컫는다고 해석할 수 있으니 우리들이 본래 하늘에 줄기하고 있다는 뜻이다)

솔성지위도(率性之謂道)는 하늘에 줄기하고 있는 우리의 성(性) 그 이치에 맞추어 세상을 살아야 한다는 뜻이다.

수도지위교(修道之謂教) 우리가 세상을 살아가면서 배워야 할 이치는 바로 도를 닦는 것을 뜻하게 된다. 이 역시 본질은 하늘에 줄기한 자기의 성(性)에 있다.

다시 정리하자.

중용의 성(性)이란 우리의 본질이 그대로 하늘에 줄기하고 있음을 자각하는 일이다. 다음으로 도(道)는 하늘의 이치에 입각한 성(性)을 따르는 것이다. 그리고 앞의 성(性)

과 도(道)의 개념에 입각하여 자신의 인격을 닦아 나가는 것 그것이 바로 중용에서 말하는 교(教)다. 그리고 성(性)과 도(道) 교(教)로서 압축시킬 수 있는 우리의 본질을 하늘의 덕스러운 작용에서 찾아야 한다면 이는 주역의 핵심요소인 하늘과 땅의 특징이다.

중용의 표현을 빌리면 그 개념은 성(誠)과 경(敬)이다. 그 가운데 성(誠)은 중천건(重天乾䷀) 하늘의 덕이고, 경(敬)은 하늘의 덕을 본받는 중지곤(重地坤䷁) 땅의 덕이다. 따라서 우리는 중용을 떠올릴 때 주역의 의미체계를 압축한 한 권의 단순한 주역 개론서로 이해하면 된다.

중용의 다음은 맹자다. 맹자는 텍스트의 특징이 일종의 논술 교과서다. 물론 맹자가 애초부터 자기의 생각을 남들에게 표현하기 위한 동기로부터 그 책을 기술하고 있는 것은 아니다. 맹자의 기본 메시지가 너무 강렬하고 일관성을 갖추고 있다 보니 배우는 사람이 그렇게 느끼게 된다는 뜻이다. 실제 스스로 원하는 게 아님에도 맹자를 배우다 보면 자신도 모르게 하나의 논술 교과서처럼 느끼게 되어 있다. 그만큼 맹자가 지닌 텍스트의 힘은 강렬하다.

물론 이것도 핵심 이치는 앞의 중용(中庸)과 마찬가지로 주역(周易)이다. 왜냐하면 맹자에 나타나 있는 전체적인 의미 구조가 결국은 그렇기 때문이다.

이는 첫 구절부터 그렇다. 자기 나라를 멀리서 찾아온

맹자를 향해 양혜왕이 묻는다. 노인께서 천리를 마다하지 않고 이렇게 와주셨는데 이 나라에 무슨 이익이 있겠습니까? 그러자 맹자가 이렇게 바꾸어 말한다. 왕은 하필리(何必利)이옵니까 다만 인(仁)과 의(義)가 있을 뿐(亦有仁義而已矣)입니다.

역의 사상을 단적으로 알게 해주는 맹자 첫 단락의 내용이다. 왜 이익을 이야기해서는 안 되는가. 천지자연의 덕이 오직 인(仁)과 의(義)이기 때문이다.

왕이 나라의 이익을 말하면 사대부와 백성들도 자기들의 이익만을 쫓는다. 그런데 왕이 인(仁)과 의(義)를 말하면 사대부와 백성들도 인(仁)과 의(義)를 생각한다는 것이다. 왕이 천지자연의 덕을 본받고자 해야 사대부와 백성들도 거기에 맞는 행동과 생각을 보여주게 되어 나라가 이로워진다는 논리다.

여기서 말하는 인(仁)과 의(義)는 하늘이 만물을 양육하는 덕을 사람이 본받아야 한다고 주장하는 공자의 핵심사상이다. 이는 다름 아닌 주역 중천건 하늘 괘의 괘사 내용을 그대로 계승한 내용이다.

그렇다면 이와 같은 맹자의 인의 사상은 어떻게 행동으로 실현되어져야 할까?

그 근거는 성인의 행동과 말에서 찾아질 수밖에 없다. 그래서 맹자의 다음에 논어를 배운다. 논어란 일종의 성인 공자의 말과 행동을 기술해 놓은 어록이다.

그 어록의 구조는 사람에게 배움의 즐거움을 언급하는 학이편으로부터 시작한다.

모든 것은 중택태(重澤兌䷹)에서 보여주듯 하늘의 이치 위에 노니는 즐거움에 바탕을 두어야 한다는 의미다. 정치도 문화도 인간의 예의범절도 마찬가지다. 하늘이 어떻게 만물을 내는지 땅이 어떻게 만물을 양육하는지 오직 그 이치를 논어에서는 공자의 행실과 말을 통해서 지금의 우리들에게 알 수 있는 내용으로 엮어져 있다.

다음으로 행실에 힘쓰되 흥을 돋우는 삶이 될 수 있도록 논어에 이어서 시경을 배운다. 시경은 시삼백(詩三百)에 사무사(思無邪)라고 했다. 시경은 곧 마음의 삿됨을 어떻게 없애줄 것인가 하는 서정시다.

다음은 서경(書經)이다. 앞의 내용들을 뒷날의 우리가 어떻게 사회적인 역할로 확대시켜 나갈 수 있는지 그 실현 방안을 정치에서 찾는다. 개인의 덕과 아름다운 신념에 바탕을 둔 사람들의 경륜이 공동체로 환원되도록 배려한 결과다. 그래서 사람의 뜻은 천하를 위하는 데 맞추고 있다. 제비가 날고 물고기가 활발하게 뛰어오르는 연비어약(鳶飛魚躍)을 중용(中庸)에서 말하는 까닭도 맹자가 인과 의를 자기의 안에 한없이 키워 세상을 껴안을 수 있도록 호연지기(浩然之氣)를 길러야 한다고 말하는 배경도 사실은 핵심이 모두 여기에 있다. 그래서 자기의 삶이 세상을 위해 긍정적인 역할을 할 수 있도록 하는 이치. 그것이 서경에서 정치에 주목하는 까닭이다. 이를 공자는 인과 의에 바탕을 둔 왕도정치라는 말로 대신한다.

서경의 다음은 사람이 좀 더 천지자연의 이치에 근거하여 포괄적으로 인생을 살피며, 정치도 할 수 있도록 역경(易經)을 배우게 된다. 역경(易經)은 곧 천지자연의 살아있는 세상사의 법칙이다. 이는 반드시 주역 64괘를 모두 알아야 하는 것은 아니다. 상경의 첫머리 하늘 괘와 땅 괘의 괘사(元亨利貞)에 대한 이해만으로도 충분하다.

그밖에 우리나라에서 한때 초학자들의 학습 교재로 사용하던 것 가운데 하나로는 증선지의 십팔사략도 있었다.

십팔사략의 저자 증선지는 송나라 말기에서 원나라 초기를 살았던 인물로 자가 종야(從野), 강서 노릉 출신이다. 그는 송나라 때 진사 시험에 합격하고 지방관을 역임하고 원나라가 들어선 뒤로는 관직에 나가지 않고 평생 후학 양성에 힘썼던 것으로 보인다.

책의 본래 명칭은 《고금역대 십팔사략(古今歷代十八史略)》이다. 18사략은 원본이 2권이었다. 명나라 진은(陳殷)의 음석본(音釋本)은 7권으로 되어 있다. 18사의 서적을 약기한 것이다. 우리나라에서는 중국의 역사와 아울러 한문을 익히기 위하여 조선 초기부터 교육용으로 많이 사용되었다.

홍대용(洪大容)이 중국에 가서 남긴 문답에 의하면 조선시대 우리나라의 어린이들은 처음에 "≪천자문≫을 읽고, 다음에 ≪사략≫을 읽었으며, 다음에 ≪소학≫·을 읽는다." 라고 기록이 남아 있다. 또 이덕무(李德懋)의 ≪청장관전서 靑莊館全書≫에서도 "우리나라에서는 어린 학생들에게 반드시 ≪통감≫과 ≪사략≫을 가르친다." 고 되어 있다.

반면 어우야담의 유몽인 허균 등은 십팔사략의 내용과 문장 구성 등을 비판하면서 그것이 우리나라 어린이들의 학습교재로 활용되는 것을 다소 회의적으로 받아들였다. 그러나 초학자들에게는 내용이 쉽고 간략하여 중국 역사의 대강을 알 수 있다는 점 때문에 초학의 학습서로 널리 활용되어왔다.

≪십팔사략≫에서 다루는 역사의 내용은 《사기(史記)》《한서(漢書)》를 비롯 후한서·삼국지·진서(晉書)·송서·남제서·양서·진서(陳書)·후위서·북제서·후주서(後周書)·수서·남사·북사·당서·《신오대사(新五代史)》에 이르는 17종의 정사(正史)와 송대(宋代)의 사료(史料)를 거기에 첨가하였다. 초학자를 위한 역사교과서로 편찬하였다.

그 내용은 시대별로 보면 중국의 전설적인 인물인 천황

씨(天皇氏)로부터 원나라가 망할 때까지의 사천년 여간 기록이다. 그러므로 ≪십팔사략≫이라는 책의 명칭은 주로 나라의 풍속과 교화에 필요한 18종의 사서를 요약하고 있다는 의미다.

처음 이 책이 우리나라에 소개된 시기는 1403년(태종 3)으로 추정된다. 기록에 의하면 명나라 태감 황엄(黃嚴)이 관복과 비단 그리고 ≪원사 元史≫ 등과 함께 ≪십팔사략≫을 우리나라에 보내왔다는 기록이 최초로 전해온다.

십팔사략의 줄거리는 중국 역사의 시작으로 보는 삼황시대로부터 다루고 있다.

삼황은 복희씨, 축융씨, 신농씨 그리고 오제로 이어진다. 오제는 황제, 전욱, 제곡, 제요, 제순 이다.

황제는 황하 유역의 반대세력을 물리치고 백성들을 편안하게 했다. 그리고 요. 순은 태평성대의 대명사이며 요가 순에게 천자의 자리를 물려주었고 순은 다시 치수공사에서 공을 세운 우에게 선양한다. 우는 천자의 자리를 아들 에게 물려주어 중국 처음으로 세습왕조체제로 바뀌어 하 왕조가 탄생한다. 하왕조는 십칠대 걸(桀)왕에 이르러 폭정을 일삼는다. 그 결과 하왕조는 은의 탕왕의 손에 의해 무너진다. 그리고 은은 다시 삼십대 주(紂)왕에 이르러 주(周)나라의 무왕(武王)에게 패망한다. 여기서 걸(桀)과 주(紂)는 역사 속 폭군의 대명사로 불리어진다.

한편 무왕(武王)에 의해서 건립된 주나라는 십삼(十三)대 임금 유왕에 이르러 동주시대가 열린다. 견융족의 침입 때문이었다. 주나라가 새로 옮겨간 수도는 낙양이었다. 후대의 역사가들은 이 시기로부터 당시의 역사 상황을 춘추전국시대라고 이름 붙인다.

춘추전국시대는 지략과 권모술수가 난무했다.

춘추전국시대의 명칭은 공자가 편찬한 노나라 중심의 역사서인 '춘추' 와 전한 말 유향이 편찬한 '전국책'에서 유래되었다고 본다.

전국책 원서(原書)는 2권이었다. 그후 명(明)나라 초기에 진은(陳殷)이 거기에 음(音)과 해석을 달아 7권으로 만들었다. 이를 유염(劉剡)은 다시 보주(補注)를 더하여 현행본으로 간행하였다.

그러나 그 책의 역사적 가치는 중국 내에서 오히려 부정적이었다. 내용의 구성에 있어서 부정확한 사실의 취사선택으로 사료적 가치가 없는 통속본으로 여겨졌기 때문이다. 그렇지만 중국왕조의 흥망성쇠를 쉽게 파악할 수 있고, 수많은 인물들의 약전(略傳)·고사(故事)·금언(金言) 등을 포함하고 있다는 점에서 중국 원(元)나라 증선지(曾先之)가 지은 역사책. 《고금역대십팔사략(古今歷代十八史略)》의 약칭이다. 《사기(史記)》를 비롯하여 《신오대사(新五代史)》까지의 정사(正史) 17종과 송(宋)나라 때의 사서(史書), 즉 북송(北宋)의 이도(李燾)가 지은 《속자치통감장편(續資治通鑑長編)》과 남송(南宋)의 유시거(劉時擧)가 지은 《속송편년자치통감(續宋編年資治通鑑)》 등을 바탕으로 태고부터 송나라 말까지의 중국사를 일화를 곁들여 간략히 기술하였다. 원래는 2권이었으나 명(明)나라 초기에 진은(陳殷)이 음과 해석을 달고 유염(劉剡)이 제목을 붙였으며, 왕봉(王逢)이 교정을 본 7권으로 만든 책이 널리 쓰였다. 그러나 이 책은 권수가 많을 뿐만 아니라 그 내용도 원본과 차이가 있는데, 특히 삼국시대에 대해서 원본은 위(魏)나라를 정통왕조로 보는 데 반해, 주자(朱子)의 《통감강목(通鑑綱目)》을 따라 촉(蜀)나라를 정통왕조로 다루고 있다. 한국에서도 《십팔사략》이 널리 읽혔다는 기록이 옛 문헌에 나타나고 있으며, 당시 아이들에게 초학의 학습서 구실을 하였다. 허황된 내용과 문장의 축약이 심해 이 책을 읽는 것을 옳지 않게 보는 견해도 있었으나, 쉽고 간명하여 중국 역사의 대강을 알 수 있는 데서 초학의 학습서로 쓰였다.

○ 가르침을 펼쳐 나가는 적당한 시기에 대하여

노력을 통한 문장의 성취에 주목하면 고려해 보아야 하는 게 있다.

굳이 시가 아니라도 처음 배우는 자에게 문장을 접하게 하는 시기에 관한 문제다. 결론부터 이야기하면 언제나 남의 좋은 점을 취해 드러나게 하려던 옛사람의 방식을 참고하면 될 것이다.

구체적인 예로는 홍길주의 다음과 같은 수여방필이다.

「무릇 사람 중에 지극히 깨달음이 없는 사람이라도 모두 나의 깨달음에 도움이 된다. 나는 손님이나 하인들 중 지극히 멍청하고 비루한 사람에게서도 글 쓸 거리를 한마디쯤 얻지 못한 적이 없었다.

어린 아이가 배움을 시작할 때는 사략과 통감을 가르치는 게 근세에 통용되는 규칙이었다.

순계 이정리가 겨우 글자를 깨치고는 먼저 상서와 주례를 읽었는데 나중에 큰선비가 되었다.

어떤 사람은

"아이에게 글을 가르쳐서는 안 된다. 반드시 15세가 되어 지혜가 열린 뒤에 이를 가르치면 수고는 반인데 보람은 배가 된다"

라고 했다.

대개 아이 적에는 받아 읽더라도 글 뜻을 제대로 알지 못해, 지나고 나면 문득 잊어버리는 아쉬움을 의식한 말일 것이다. 그렇지만 이는 맞는 말이 아니다. 뜻을 오로지 하고 욕심을 적게 하여, 편하게 인도하여 목표로 이끌어 지혜의 문이 열린 뒤에 예전 배운 것을 다시 살피게 되면 가까운 곳에서 깨달음을 만나게 된다. 그러므로 이 사람의 주장은 옳지 않다. 왜냐하면 나이와 지혜가 함께 자라기를 기다린 뒤에 배움에 들어가려 한다면 바깥의 유혹도 함께 뒤섞이며 반드시 이기지 못해 어그러지는 근심이 있게 되기 때문이다.」

공부를 하는 사람에게 공부하기 좋은 때가 정해져 있을까? 홍길주의 지론은 실로 옳다.

사람에게 있어서 학문은 반드시 적당한 때가 있는 게 아니다. 늦다면 늦은 대로 빠르면 빠른 대로 처지에 맞는 결단과 선택만이 중요할 뿐 흑백 논리로 이를 재단할 일은 아닌 것이다. 그보다는 중요한 게 공부에 자기 마음을 붙이며 살아가는 즐거움을 깨닫게 하는 일이다.

또 적당한 때를 따져보더라도 그렇다. 사람에게는 누구나 학문에만 오로지 마음을 붙이고 살아갈 수 없는 고충이 있게 마련이다. 그게 경제적인 이유일 수도 있고, 건강상의 이유일 수도 있으며, 기질상의 이유 때문일 수도 있다. 그러므로 학문하기에 좋은 시기를 따지기보다는 어떻게 학문하는 일이 즐겁게 느껴질 수 있을까 고민하는 게 더 중요해진다. 그랬을 때 아이는 아이 적에 맞는 학문의 방향과 수준을 찾을 수 있게 되고, 지각이 든 뒤에는 지각이 든 대로 사람의 정신을 깨우칠 수 있는 근기와 집중력을 모색할 수 있기 때문이다.

이것은 아마 현대교육에 있어서 교육학이 필요해지는 이유 가운데 하나일 수도 있다.

다만 거기서 무엇보다도 중요한 덕목은 있다. 스스로 어떤 글을 익히면서 생겨나는 마음의 즐거움이다. 사람의 정신을 바로 서게 하는 분위기에 심취할 수 있어야 하기 때문이다. 다음의 시는 바로 그런 세상살이의 이치를 알 수 있게 하는 한편이 아닐까 싶다.

글공부란 산에 오르는 것 같아
오르면 오른 만큼 얻는 바가 있다네

맑은 바람 쓸쓸히 불어오기도 하고
음산하게 우박이 쏟아지기도 하리.

깊은 못 속에 교룡이 잠긴 듯
하늘로 훨훨 나는 봉새되어 나는 듯

위태로운 욕심 버리고
바른 마음 가슴에 간직하라.

그 위에 수많은 책을 읽으면

능히 진리를 깨우치리라.

옳은 기풍 오래전에 사라지고
큰길은 묵어 가시밭이 되었도다.

창밑에서 책을 어루만지며
탄식하는 이 마음 누가 알아주랴.
讀書如遊山(독서여유산) 深淺皆自得(심천개자득)
淸風來徐寥(청풍래서요) 飛雹動陰黑(비박동음흑)
玄虯蟠重淵(현규반중연) 丹鳳翔八極(단봉상팔극)
精微十六字(정미십육자) 的的在胸臆(적적재흉억)
輔以五車書(보이오거서) 博約見天則(박약견천칙)
王風久蕭索(왕풍구소삭) 大道翳荊棘(대도예형극)
誰知蓬窓底(수지봉창저) 掩卷長太息(엄권장태식)

글공부라는 제목의 이색(李穡)이 지은 시다.
호가 목은(牧隱)이었고 시와 문장에 매우 능하여 당시 그의 명성이 멀리 외국에까지 알려졌다. 그의 저서로는 목은집 55권이 있다.

달 밝은 강마을 고요하기만 한데
시냇가 아낙네가 비단을 빨래하네.
한번 빨고는 다시 한번 비비니

소리가 날 때마다 흰 물결이 일어나네.
한번 빨아 이만큼 더러움이 씻기거늘
두 번 빨면 그 깨끗함 얼마만할까.
진실로 군자의 덕도 이 같을지니
갈고 닦지 않으면 흩어져 희미해질 그것이 두려워라.

月明水村靜(월명수촌정) 溪女浣越羅(계여완월라)
一漂復一擱(일표부일연) 聲聲揚素波(성성양소파)
一濯猶薄汚(일탁유박오) 再濯潔如何(재탁결여하)
誠恐君子德(성공군자덕) 判渙少琢磨(판환소탁마)

장지완이 노래한 완사(浣紗)라는 제목의 시다. 강마을에서 빨래하는 아낙네의 서정적인 모습을 빌려와 힘껏 절차탁마하며 닦아나가는, 학문에 뜻을 둔 자의 아름다운 몸가짐을 노래한 수작이라 말할 수 있을 것이다.

○ 오직 맑은 마음이라야

고생(高生) 순(淳)의 자(字)는 희지(熙之)다.

그는 한때 귀머거리 증세가 있었으나 독실하고 학문을 좋아하였다.

하루는 시를 읊다가 잠자리에 들었다.

그는 그날 밤 꿈에 돌아가신 아버지가 나타나 들려주는 이런 시 한 수를 들었다.

"백발이 성성하여 옛 모습 줄어지고,
외로운 몸 쓸쓸히 산턱을 지키네
백골이 아무런 감응이 없다고 말하지 말라.
네 시 읊는 소리에 나는 잠 못 들어 하노라.
華髮蒼蒼減昔年(화발창창감석년)
孤身寂寂守山前(고신적적수산전)
莫言白骨無知感(막언백골무지감)
聞汝吟詩我不眠(문여음시아불면)

내가 전날 그 시를 서하였는데 그것은 대략 이러하다.

"천지에 있는 한 기가 와서 펴졌다가 그것이 또 흩어져 되돌아가는 것이니 사실은 하나이다. 따라서 사람이 죽은 餘氣가 각기 자손의 몸에 분산해 있으면서, 그것이 자손에게 움직이면 신명에 소소히 감응되는 것이다. 그렇더라도 사람이 반드시 곧고 오직 맑아서 슬프게 부모를 다시 보는 것과 같이 한 연후에야 부모의 혼령이 하늘에서 오르내려 늘 좌우에 있게 되는 것이니, 고희지 같은 이는 이른바 오직 맑은 이라 할 것이다."
고 하였다.

추강냉화에 실린 내용이다.

○ 되풀이되는 인간의 고뇌

사회적인 역할을 떠올릴 때 고금이 크게 다를 수 없다.

특히 백성들의 녹에 의존한 정치인의 역할을 떠올리면 자기 삶의 궤적이 전혀 달라진다. 명나라 장수 조도사(趙都司)가 서울에 와서 지은 시도 마찬가자다.

맑고 향기로운 맛의 술 일천 사람 짜낸 피요
가늘게 썬 진귀한 안주 만 백성의 기름일세
촛농이 녹아 흐를 때 사람 눈물 떨어지고
노래 소리 높은 곳에 원망 소리 높도다.
淸香旨酒千人血(청향지주천인혈)
細切珍羞萬姓膏(세절진수만임고)
燭淚落時民淚落(촉루낙시민루락)
歌聲高處怨聲高(가성고처원성고)

공인으로서의 일신상의 영화는 결코 자기만의 영화가 아니다.

나라 안 백성의 피와 땀을 짜낸 사대부의 술과 안주, 거기에는 당연히 사람들의 원성과 눈물이 뒤섞여 있음을 느끼게 있다. 반면 개인의 치부와 호의 호식을 바라는 자라면 이와 같은 시구 상의 백성들 안타까움 따위야 안중에 있기나 하겠는가. 상촌집에는 이 시가 지어지던 무렵의 정치 상황을 이렇게 묘사하고 있다.

무신년 이후부터는 큰 옥사가 해마다 일어났다. 사람들이 출세하는 것은 모두 고변을 하였거나 내통을 하기 때문인데 크게는 공신이나 정승 판서가 되고 작게는 푸르고 붉은 관복을 입고 의기양양하게 다니었다. 이런 길을 택하지 않는 자는 모두 곤궁하고 윤락하여 심하면 죄를 얻거나 형벌에 빠져 비록 죽음을 면하더라도 모두 추방되었기 때문에 이익을 좋아하고 염치가 없는 자는 상전에 달라붙어 아첨함이 한이 없어서 잡채판서(雜菜判書) 김치정승(沈菜政丞)이란 말까지 세상에 나돌았다. 이것은 잡채와 김치를 임금에게 바쳐서 총애를 얻는다는 뜻이다.

무관(武官)과 음관(蔭官)의 높고 낮은 벼슬의 임명이 밖에서는 이조에서 추천받는 것과 안에서는 임금에게 낙점을 받는 것이 모두 뇌물로 되었다. 시중의 장사꾼이 전주錢主가 되어 만약 어느 벼슬을 구하고자 하는 자가 있으면 장사꾼이 먼저 그 벼슬의 좋고 나쁨을 보아 값이 많고 적음을 정하며 돈 약간을 내어 한 번 이조에 바치면 추천하는 게제가 되고 또 한 가지는 여러 궁녀에게 뇌물이 들어가면 낙점을 받는 길이 되니 뇌물이 이미 들어갔으면 그 사람은 앉아서 벼슬을 얻게 되는 것이다. 병사 수사 목사 부사로부터 아래로는 군 현 진 보에 이르기까지 값을 지불하지 않고는 벼슬을 얻는 이가 없었다. 장사꾼이 벼슬한 사람과 같이 부임하면 그 사람이 백성의 재물을 밤낮으로 긁어모아서 벼슬 값의 배를 갚으니 혹시 벼슬얻은 자가 벼슬값을 갚지 못하고 실패하거나 혹은 몸이 죽게 되면 그 장사꾼은 곧 그 집에 가서 갚기를 요구하기 때문에 집과 토지와 종까지 모두 팔아서 갚게 된다.

외관으로서 탄핵을 받은 자들은 임금이 그 탄핵에 대하여 천천히 결제하겠다.(徐當發落)는 전교가 내리면 그 지방에 물러나 앉아서 예사로 관물을 먹고 탐한 짓을 마음대로 행하여 관직에 있을 때보다 심하게 하니 백성들이 이 때문에 견딜 수 없었다.

이밖에도 응천일기 사옹만록 속잡록 일월록 일사기문 등 그 당시의 부패상을 기술한 문건은 수없이 많다. 다만 당시에도 살아 있는 선비 정신을 보여주던 이들의 모습이 존재했었다는 사실이다. 역사의 단면을 어느 한쪽에서만 보지 말았으면 하는 노파심에서 곁들이는 말이다.

그가 벼슬길에 나선 것은 그의 나이 스물넷 1580년 선조 13년의 일이었다. 그는 옥당에 들어가 선조의 신임을 받게 되는 것을 시작으로 호조참의 도승지 형조 및 병조판서 등을 두루 거치며 영의정까지 지냈다. 그러면서도 벼슬을 하는 40년 동안 조정의 당쟁에 초연하려는 노력으로 그는 시종일관 그 당시 사대부들의 돈독한 명망을 독차지하다시피 하고 있었다. 따라서 계속되는 조정의 난맥상이 인목대비의 폐위 삭출 건에 이르렀을 때는 조금도 조정의 세력 향배 따위에는 관심을 두지 않는 소신 있는 의견을 개진해 마지않았다.

그때 이항복은 동강에 은퇴하여 조정에 참례하지 않은 지 오 년째였고 또 병든 몸이었다. 그러나 붓을 들어 쓰기를 “신은 8월 9일에 다시 중풍을 얻어 몸은 비록 죽지 않았으나 정력은 이미 허탈해졌습니다. 하늘을 쳐다보고 구름을 바라보며 죽음을 앞둔 지 오래되었고 지금은 반년이나 병석에 있습니다. 무릇 공사에 관해서는 사세가 대답하기 어렵습니다만 이것(폐위삭출의 건)은 나라의 큰일이니 남은 목숨이 끊어지지 않았는데 어찌 감히 병을 핑계로 입을 다문 채 잠잠히 있기만 하겠습니까. 누가 전하를 위하여 이 계책을 세웠습니까. 임금 앞에서는 요순의 도가 아니면 진술하지 않는 것은 옛날의 밝은 훈계입니다. 순은 불행하게도 부모가 완악하여 항상 순을 죽이고자 했습니다. 순을 시켜 우물을 파게하고는 뚜껑을 덮어버렸으며 창고를 수리하러 올려 보낸 후에는 창고를 불살라 버렸으니 그 위험함이 극도에 달했던 것입니다. 그럼에도 순은 목 놓아 울고 사모하면서 부모가 그르다는 것을 생각하지 않았으니 진실로 아버지가 비록 자식을 사랑하지 않더라도 자식은 아버지에게 효도하지 않을 수 없는 때문입니다. 그러므로 춘추의 의리에는 자식이 어머니를 원수로 여기는 법이 없습니다. 하물며 급[5]의 아내가 된자

---

5) 공자의 손자 자사의 이름 자사는 아내와 이혼 그 아들인 백에게

는 백의 어머니가 되는 것이니 효도의 중한 것이 어찌 친모나 계모가 다름이 있겠습니까. 지금 효도로써 나라를 다스려 나라 안이 점차 교화되어 가는 희망이 있는데 이 말이 어찌해서 전하의 귀에까지 이르게 되었습니까. 지금의 도리로서는 순의 덕을 본받아 효도로써 화합하고 지성으로 섬겨 대비의 노여움을 돌려서 자애로 만들고자 함이 어리석은 신의 바라는 바입니다" 라고 하였다. 물론 이와 같은 항복의 의견은 당시의 조정에서 받아들여지기 어려웠다. 또 강력한 탄핵도 뒤따랐다. 그는 결국 기자헌 정홍익 김덕함 등과 더불어 다시 돌아오지 못할 북청으로 유배길에 오른다. 그때 전후 사정을 안타까워하던 이호민 등이 산단으로 찾아와 눈물로 작별하자 항복은 다음과 같은 한 편의 시를 지어 건넸다.

이 땅에서 해마다 손을 전송하니
산단에 술잔을 들어 강리에 제사하였는데
내 걸음이 가장 늦어 어느 곳을 향할는지
다시는 옛 친구와 서로 이별함도 없을레라.
此地年年送客歸(차지년년송객귀)

어미로 섬기지 말라고 하면서 나의 처가 되면 백의 어미가 되고 나의 처가 아니면 백의 어미가 아니다. 고 말했다. 그러나 여기서는 광해군이 선조의 후궁에게서 태어났지만 계모인 인목대비도 선조의 부인이므로 전처의 아들인 임금에게도 당연히 어미가 된다는 뜻으로 인용하고 있다.

山壇擧酒祭江籬(산단거주제강리)
吾行寂晩當何處(오행최만당하처)
無復故人來別離(무부고인래별리)

항복은 이에 대해 다음 시로써 화답했다.

구름 낀 해는 쓸쓸해 대낮임에도 어둡고
북풍은 불어와 먼길 손의 옷자락을 찢는구나
요동의 성곽은 응당 옛 그대로련만
다만 걱정되노니 영위는 가서 돌아오기나 할는지.
雲日蕭蕭晝晦微(운일소소주회미)
北風吹裂遠征衣(북풍취열원정의)
遼東城郭應依舊(요동성곽응의구)
秖恐令威去不歸(지공령위거불귀)

구름이 끼어 어두운 대낮 병든 자신의 가슴으로 불어오는 북풍에의 감회는 어땠으랴. 임진왜란을 당해 도승지의 신분으로 선조를 시봉하면서 진주사 등의 나라 사신이 되어 명나라를 오가면서 국경을 넘나들던 그 길을 이제는 귀양가는 몸이 되어 다시 지나가고 있었다. 예나 지금이나 조금도 변함없는 옛 그대로인 성곽의 모습과는 달리 그는 이 길을 다시 오게 될 수나 있을지. 그러나 그의 더 큰 걱정은 비단 다시 돌아오지 못할 지도 모르는 자기 앞날에의 씁쓸함만이 아니다. 그보다는 기울어져 가는 사직에 대한 안타까움 바로 그것이었다. 그래서 그는 망우령(忘憂嶺)을 지나면서 자신의 그 같은 심정을 다시 이렇게 읊는다.

모진 바람도 쇠 같은 심간만은 뚫기가 어려우리
서관[6]의 첩첩한 산도 두렵지 않다.
진암 천 길 고개에 말을 멈춰 쉬고 보니
석양에 돌아다 보이는 목릉(선조의 능)의 차가움이여
獰風難透鐵心肝(영풍난투철심간)
不怕西關震萬疊(불파서관진만첩)
山歇馬巖千丈嶺(산헐마암천장령)
夕陽回望穆陵寒(석양회망목능한)

또 철령에 올라서는 이렇게 노래한다.

철령 높은 재에 자고 가는 저 구름아
고신(孤臣)원루(寃淚)를 비 삼아 띄워다가
님 계신 구중궁궐에 뿌려본들 어떠리

---

6) 처음에 창성으로 귀양을 보내라는 명이 있었다. 그러나 이웃 중국과의 관계 등을 고려해 유배지가 여러 차례 바뀌면서. 북청으로 정해졌었다.

귀양길에 올라 있으면서도 끝내 버리지 못하는 사직과 나라에 대한 안타까움. 귀양길에 올라 천길 높은 고갯길을 오르면서도 그의 걱정은 오직 하나 해 저무는 석양 끝의 차가운 사직의 운명이었다. 한때 총애 받는 신하로 몸을 담고 녹을 먹었던 이 나라의 기울어져 가는 사직. 하루해가 저물 듯 자기 한 생애의 의미가 그리고 그 사직에 몸을 의탁하고 있는 백성들의 삶이, 하긴 그것은 자기 자신의 지난날 자기 인생의 유일한 화두였던 꿈이요 삶의 의미가 아니었던가. 그렇건만 이제 그 모든 것이 차가운 무덤으로 문득 풍화해가려 하고 있는 것이다. 어찌 안타깝지 않으랴. 이까짓 귀양길의 살을 에이는 듯한 모진 바람이며 헐떡여지는 숨결에 지친 몸을 쉬어가야 하는 천길 고갯마루 정도야 그로서는 조금도 두려워할 성질이 아니었다.

그리고 그의 이 같은 견딜 수 없는 절박함이 사람들에게 받아들여진 탓이었을까. 철령 재에서의 그의 아래 시구는 문득 서울에 전해져서 모든 궁 안의 사람들이 노래로 따라 불렀다. 한편 사람들이 이처럼 노래로 받아들여 기억해주던 그의 시는 결국 당시 임금이던 광해군의 귀에도 그대로 흘러 들어갔다. 항복이 아직도 귀양지에서 머물고 있던 어느 날이었다. 뒤뜰에서 잔치를 벌리고 있던 광해군은 이미 마신 술로 몸이 취해 있었다. 그러나 광해군은 그 노래를 전해 듣고 누가 지었는지를 물었다. 당사자는 거기에 대해 숨기지 않고 대답했다. 임금은 슬픈 기색으로 눈물을 흘리며 이내 술자리를 파해버리고 말았다.

○ 그림과 사물의 경계를 넘어선 우리 마음의 묘한 작용

- 중국 사신들의 시구를 통한 성찰 -

경태 초년에 시강 예겸이 중국 사신으로 우리나라를 다녀갔다.

예겸은 어느 날 임금을 모시고 나라 안을 돌아보는 자리에서 시를 한 수 지었다.

"많은 선비가 좌우로 갈라섰고,
푸른 잣나무는 열을 지어 뻗어 뻗어 있다."

이를 보고 당시 집현전의 유사 전성(全盛)이 혹평하기를

"참으로 썩은 교관이다. 한쪽 어깨를 걷어 올리고도 이보다는 낫게 짓겠다."

며 비웃는 말을 하였다.

그러나 그는 전성의 혹평과 달리 문재가 비범한 사람이었다.

두어 차례 시를 짓기 위해 붓을 놀려대면서 보여주는 시상의 빼어남으로 인해 함께 어울리는 사람들로부터 마음

에 우러나오는 굴복을 결국 받기에 이르렀다.
그중 다음은 한강에서 놀면서 지은 시다.

웅장한 누각에 올라 빼어난 경치 바라보며
노저어 푸른 물에 누선을 띄우니
암벽을 끼고 돌며 배는 비단 밧줄에 느리게 끌려가고
옥호의 술 권하는 눈 앞으로 아롱진 난간 막아 선다
강산은 천고에 그 빛을 잃지 않건만
주객의 즐거움은 한때의 일이니
달은 밝고 사람은 떠날 먼 훗날을 생각하면
거울 같은 강물에 점점 백구만이 날겠네.
纔登傑構從奇觀(재등걸구종기관)
又棹樓般泛碧湍(우도누반범벽단)
錦纜徐牽緣翠壁(금람서견연취벽)
玉壺頻送隔雕欄(옥호빈송격조란)
江山千古不改色(강산천고불개색)
賓主一時能盡歡(빈주일시능진환)
遙想月明人去後(요상월명인거후)
白鷗飛占鏡光寒(백구비점경광한)

세조 때 사절로 온 한림(翰林) 진감(陳鑑)은 종사(從事) 이윤보가 지은 연꽃 그림을 보고 다음 같은 시를 지었다.

쌍쌍의 백로는 서로 친한 듯하고
물 위로 나온 붉은 연꽃 실물보다 더 실제같아
객을 말미암아 명성은 칭송으로 퍼져가니
연꽃을 사랑하는 사람이 어찌 주렴개 뒤엔들 없겠는가
멀리서 바라봐도 더위는 절로 물러가고,
나란히 선들 어찌 세상사에 물드리오,
애오라지 그림으로도 이뜻을 알겠으니
거위와 오리가 이웃을 괴롭히는 것보다 낫구나.
雙雙屬玉似相親(쌍쌍속옥사상친)
出水紅蓮更逼眞(출수홍련갱핍진)
名播頌聲緣有客(명파송성연유객)
愛從周後豈無人(애종주후기무인)
遠觀自可祛煩暑(원관자가거번서)
竝立何曾染俗塵(병립하증염속진)
料得丹靑知此意(료득단청지차의)
絶勝鵝鴨惱比隣(절승아압뇌비린)

한 폭의 그림을 통해서도 이처럼 자기의 식견을 풍자적으로 드러낼 수 있는 문장 구사가 정말 절묘하다.

여기에 대해 함께 관반사가 되어 진감과 어울리던 박연성은 진(眞), 린(隣) 등의 운을 빌려 화답하기를

"물 위의 새와 꽃은 멀어서 친하기 어려운데

붓으로 담아 온 교묘함이 참을 뛰어넘는구나.
갓 피어오른 연꽃 봉오리가 말하고자 하고
한가롭게 서 있는 백로는 사람을 두려워하지 않네
진흙 속에서 났으나 오히려 깨끗하여 물들지 않았으며
빙설같은 고고함 멀리 속진을 벗어났네
옥서에 노니는 신선이 보기를 싫어하지 아니함은
맑은 몸매와 향기로운 덕을 닮고자 해서라네
水鄕花鳥邈難親(수향화조막난친)
筆下移來巧奪眞(필하이래교탈진)
菡萏初開如欲語(함담초개여욕어
鷺絲閑立不驚人(노사한립불경인)
汚泥淨色還無染(오니정색환무염)
氷雪高標逈脫塵(빙설고표형탈진)
玉署遊仙看不厭(옥서유선간불염)
淸儀馨德與相隣(청의형덕여상린)
하였다.

참으로 사람의 기품을 그대로 느끼게 하는 그대로 보여주는 듯한 절구다. 한폭의 그림을 소재로 학과도 같고 연꽃과도 같은 품격의 내면세계를 그려낼 수도 있는 멋스러움도 하나의 타고난 인간의 기쁨이라면 기쁨일 수 있을 것이다.

○ 시로써 드러난 힘없는 나라의 마음속 슬픔

사대에 젖은 우리 민족의 비애는 어떤 정서로 드러나고 있을까? 어떤 결말을 찾기 이전에 생존을 위한 삶의 지혜에 주목하는 쪽에서 자위하고 넘기는 게 좋을 수도 있다.

어쨌든 그런 저간의 고민을 읊고 있는 옛사람의 시 역시 우리를 울리기는 마찬가지다.

최명길의 다음 시도 그렇다.

고각 소리는 공중에 가득하고 바다 물결은 하늘에 닿았는데
오천 명의 갑옷 입은 군사 누선에 실렸구나
산성에서 죽지 못한 게 다 신의 허물이니
울면서 봄바람을 향해 두견새에 절하노라
鼓角喧空海接天(고각훤공해접천)
五千兵甲載樓船(오천병갑재누선)
山城不死皆臣罪(산성불사개신죄)
泣向春風拜杜鵑(읍향춘풍배두견)

최명길이 활동하던 시대는 조선 인조 때였다.

읊고 있는 대로 앞의 시에는 청나라의 강요로 어쩔 수 없이 군사를 보내 명나라와 맞서야 하는 굴욕스러움이 잘

뜨러나 있다.

군사들의 북과 뿔 나팔 소리 파도에 출렁이며 바다에 떠 있는 배 위로 올라야 하는 병사들의 발걸음 대체 누구를 위한 출병인가?

돌이켜보면 이 모두가 나라의 힘이 스스로를 지키기 어려운 까닭이었다.

인조 5년 정월에 금나라의 침략이 있고 난 뒤였다.

이른바 정묘호란, 왕은 성을 나와 남한산성에 웅거하였다. 그리고 그해 삼월 금과 화친을 맺었다. 그러나 왕이 도성으로 돌아오고 나서 금은 우리나라에 명을 치기 위한 군대를 보내줄 것을 노골적으로 강요했다. 그러나 처음 그들의 파병 요구는 교묘한 상황 논리로 겨우 피해갈 수 있었다. 물론 모두가 최명길의 계략에 의해서였다. 그는 불가피한 형세로 인해 금나라와 화친을 할 수밖에 없는 남한산성 밑에서 의 맹약 때부터 그 점만은 분명히 드러내 금나라의 양해를 얻어낼 수 있었다. 이유는 그 당시의 조선이 금과 맞서고 있는 명나라와 우리의 관계가 차마 어쩔 수 없는 입장임을 내세운 결과였으며 또 군대를 징발하여 금에게 보낼 수 있을 만큼의 나라 힘이 미치지 못한다는 이유에서였다.

그러던 게 후금이 금주를 치고 난 뒤로는 달라졌다.

우리에게 파병을 요구하는 그들의 자세는 강압에 가까웠다.

명길은 그 요구를 두고 전과는 다른 이유에서 받아들여선 안 된다는 주장을 펼쳤다. 전일에 강화한 것은 나라의 형세가 궁하고 힘이 다하여 종사를 보존하기 위해서 어쩔 수 없었지만 오늘날 군사를 돕는 일은 나라가 멸망하더라도 좇을 수 없다 하여 거절한 것이다. 또 거기에 따른 그들의 반발도 직접 최명길 자신이 나서서 무마시켰다. 아무튼 그는 자신이 재상의 반열에 있으면서 한번도 청나라의 파병 요구를 들어주지 않았다. 그러다가 마침내 군사 돕기를 허락한 것은 그가 정승을 그만두고 금천 촌사에 머물면서였다. 그는 그곳에 머물면서 청나라의 파병 요청에 조정이 결국 응하기로 했다는 소문을 듣고 그 심정을 이렇게 앞의 시 한 편으로 술회한 것이다.

○ 시를 통한 마음의 전언 궁 안의 대숲

죽순 껍질 벌어지니
곱기도 해라 참대 마디
왕이 거니는 길에
녹음을 이루었네

드나들 때 번거롭게
풍악은 잡혀 무엇하랴
가을바람에 설레이는
대숲 소리 얼마나 좋은가
禁中東池新竹(금중동지신죽)
錦籜初開粉飾明(금탁초개분식명)
低臨輦路綠蔭成(저림연로녹음성)
宸遊何必將天樂(신유하필장천락)
自有金風撼玉聲(자유금풍감옥성)

고려 초기의 학자 최승로가 지은 시이다. 이 시는 왕이 검소한 생활을 하기 바라는 권유의 뜻을 담고 있다. 그는 이 외에도 역대 왕들의 정치를 비판적으로 분석하여 기술한 28 조목(條目)의 대책으로도 유명하다.

○ 마음으로 느끼는 생명에의 예찬 햇곡식의 노래

생명의 근원을 떠올리면 곡식의 소중함을 헤아림은 너무나 당연하다. 보이지 않는 세계의 손을 향해 복을 빌고 신앙을 굳혀나가기 이전에 우선 몸을 배불려야 하는 이유 때문에도 햇곡식의 의미는 너무나 소중한 존재다.

그것을 시인 이규보는 다음과 같이 읊고 있다.

낟알 알알이 그 얼마나 소중한가
생사도 빈부도 이 낟알에 달려 있네
내 농부를 존경하기 부처 받들 듯하노니
사실 부처님이야 주린 자를 살리는가
기쁘구나 이 흰 머리 늙은이
금년에 또 햇곡식을 보았으니
이제 죽은들 무슨 한이랴
농사꾼의 은덕이 이 몸에도 미쳤네.
新穀行(신곡행)
一粒一粒安可輕(일립일립안가경)
係人生死與富貧(계인생사여부빈)
我敬農夫如敬佛(아경농부여경불)
佛唯難活已飢人(불유난활이기인)
可喜白首翁(가희백수옹)

又見今年稻穀新(우견금년도곡신)
雖死無所歉(수사무소겸)
東作餘膏及此身(동작여고급차신)

고려 때의 시인 이규보의 창작이다. 자는 춘경(春卿) 호는 백운거사 일찍 벼슬길에 올라 정당문학 등의 관직을 거쳤으나 차츰 나라가 부패하고 권력에만 눈이 어두운 무인 정치로 접어들자 타락한 위정자들에게 불만을 품으며 그 밑에서 고생하는 백성들의 처지를 동정하였다.

그는 시에서 《뜻이 기본》이라고 주장하였으며 모방주의, 형식주의를 비판하였다. 그리고 표현수법, 추고 등 창작실천에서 제기되는 문제들을 비교적 정확하게 해명하였다. 그가 쓴 서사시 《동명왕편》은 고구려 개국전설을 취급한 것으로 문학사적 가치가 높으며 고대역사를 밝히는데도 도움이 되고 있다. 그의 《삼백운시》는 302구에 달하는 매우 긴 장시로서 그 속에 박식과 재능이 함께 빛나고 있다.

그가 사망하기 전 약 20년 간의 창작활동은 외래 침략자를 반대하며 애국주의 정신을 고취하는데로 돌려졌으며 우리 나라 한시 역사에 높은 경지를 개척하고 있다. 문집으로 동국이상국집이 전하는데 그 안에는 2000여 수의 시와 700여 편의 산문이 들어 있다.
((문예출판사 간행, 한시집1))

○ 한훤당 김굉필 선생에게서 공부를 배운 일두 정여창은 마음을 성리의 학문에 두어 같은 또래에서 이학으로 추앙을 받았는데 평생 시 짓기를 좋아하지 않았다. 그래서 세상에 전해오며 남아 있는 시구로는 두류산에 복축(땅을 점쳐서 쌓는 것)할 적에 지은 다음 한 편만이 유일했다.

바람에 부들(왕골) 휘날려 가볍고 부드러이 희롱하는데
사월에 화개[땅이름]에는 보리 벌써 가을이네.
두류산 천만 골짜기 다 구경하고서
조각배로 다시 큰 강 흐름을 따라가네.
風蒲獵獵弄輕柔(풍포렵렵롱경유)
四月花開麥已秋(사월화개맥이추)
觀盡頭流千萬疊(관진두류천만첩)
扁舟又下大江流(편주우하대강류)
라고 읊고 있다.

병진 정사록에서는 이를 두고 평하기를 그의 가슴속이 깨끗하여 한 점의 티끌 낀 것도 없는 모습을 미루어 상상해 볼 수 있다고 하였다.

○ 삼봉이 귀양 중에 김 약항(金若恒)과 하륜(河崙) 설장수(偰長壽)를 만나 시를 지었다.
시의 내용은 다음과 같다.

이별한 지 3년 만에 처음 서로 만났네.

지난 일은 그럭저럭 한낱 꿈속이구려.

헐뜯고 칭찬하는 시비는 이 몸에 아직 남았어도

슬픔과 기쁨 나오는 길은 도리어 한 군데구려.

別離三載始相逢(별리삼재시상봉)

往事悠悠一夢中(왕사유유일몽중)

毁譽是非身尙在(훼예시비신상재)

悲歡出處道還同(비환출처도환동)

이라는 내용이다.

그런데 이 시를 두고 풍아(風雅)에서는 이 구절의 글 뜻이 음미해 볼만한 여지가 많아서 그 뒷맛이 매우 의미가 깊다고 하였다. 즉 예전에 귀양간 사람이 귀양살이하는 동안의 괴로움을 철저하게 다 나타낸 시구라는 것이다.

○ 모방을 통한 마음의 단련 창작은 모방에서

옛사람이 시를 짓는 데는 한 구도 내력 없이 쓰지 않았다.

정승 이혼의 상 부벽루시(上浮碧樓詩)에,

영명사永明寺 안에 중은 보이지 않고

영명사 아래 강물만 흘러 흘러

라는 구는 이태백李太白의

봉황대(鳳凰臺) 위에 봉황새 놀더니

봉새는 가버리고 대(臺)는 비었는데

강물만 흘러 흘러

에서 나온 것이며,

빈 산에 외로운 탑 뜰 끝에 삐죽 솟고,

인적 끊어진 나루터에 빈배만 비껴 있네

라는 구는 본래 소주蘇州 위응물韋應物의

빈 나루터에 배만 홀로 비껴 있다

에서 나온 것이며,

하늘 높이 나는 새는 어디로 향하는고

넓은 들에 봄바람 불어 그칠 줄 몰라라

라는 후산(後山) 진사도(陳師道)의

하늘 높이 나는 새는 어디로 가려는고

떠가는 구름은 스스로 한가로워라

에서 온 것이다.

지난 일 흐릿하여 물어 볼 곳도 없어

놀에 지는 해는 사람의 수심 자아낸다

라는 구는 이태백(李太白)의

뜬구름 해 가리어 장안이 안 보이니

남의 수심 자아낸다

에서 나온 것이니,

시구마다 내력이 있어 따와서 꾸민 것이 묘할뿐더러 바뀐 문구에도 격조 높기는 마찬가지다.

○ 마음으로 느끼는 공감 옛 아동들의 애송시

왕안석의 시로서 옛날의 아동들이 즐겨 애송했으며 그 시상까지 절묘했던 시구로 익재 이제현은 송현집 속의 다음과 같은 10여 수를 꼽는다.

해 기우니 섬돌 그림자 오동나무로 옮겨가고

발 걷으니 푸른 산이 눈앞을 가로막네

남쪽 시내에 석양이 비치니 놀이 절로 일고

서산은 아득하여 보일 듯 말 듯 하구나

日西階影轉梧桐(일서계영전오동)

簾捲青山簟半空(염권청산점반공)
南澗夕陽烟自起(남간석양연자기)
西山漠漠有無中(서산막막유무중)

동강에 나뭇잎 지고 물은 질펀한데
시든 갈대밭의 조는 오리는 운애雲靄에 묻혀 있네
북쪽 사람 고향에 돌아가 이 경치 못 잊어
집집마다 병풍에 그림 그려 놓았네
東江木落水分洪(동강목락수분홍)
睡鴨殘蘆掩靄中(수압잔로엄애중)
歸去北人多憶此(귀거북인다억차)
每家圖畫上屛風(매가도화상병풍)

물빛과 산 기운 푸르고 푸른데
해질 녘 돌아가려다 잠깐 또 머무네
이로부터 이 경치 꿈에 길이 뵈리니
꿈속에서 옛 친구와 함께 놀리라.
水光山氣碧浮浮(수광산기벽부부)
落日將還又小留(낙일장환우소류)
從此定應長入夢(종차정응장입몽)
夢中還與故人遊(몽중환여고인유)

금화로에 향불 꺼지고 물새는 소리 쇠잔한데

산들산들 부는 바람 으스스 춥구나
봄 경치 마음 괴롭혀 잠 못 이루니
달 기울어 꽃 그림자 난간 위로 올라 있네
金爐香盡漏聲殘(금로향진누성잔)
剪剪輕風陣陣寒(전전경풍진진한)
春色惱人眠不得(춘색뇌인안부득)
月移花影上欄干(월이화영상난간)

강어귀에 닻 내리니 달은 으스스한데
목로 집에 등도 없이 문 닫으려 하네
모래 언덕에 반쯤 솟은 단풍나무 시들려 해도
배를 매었던 지난날 흔적 아직도 여전하네
落帆江口月黃昏(낙범강구월황혼)
小店無燈欲閉門(소점무등욕폐문)
半出岸沙楓欲死(반출안사풍욕사)
繫舟唯有去時痕(계주유유거시흔)

나와 단청이 둘 다 허깨비라
세간에 유전하다 끝내 티끌이 되는 것을
다만 이 몸이 남의 몸 아님 알겠으니
지금 사람이 옛사람과 같으냐고 묻지 마오
我與丹青兩幻身(아여단청양환신)
世間流轉會成塵(세간유전회성진)

但知此物非他物(단지차물비타물)
莫問今人猶昔人(막문금인유석인)

수양버들 늘어진 샛길엔 보랏빛 이끼 덮여 있고
쇠락한 원의 뜨락에는 사람의 말소리 쓸쓸하네
오직 한 그루 살구꽃 길손을 부르는 듯
담에 기댄 두어 가지 석양 속에 붉었네
垂楊一徑紫苔封(수양일경자태봉)
人語蕭蕭院落中(인어소소원락중)
唯有杏花如喚客(유유행화여환객)
倚墻斜日數枝紅(의장사일수지홍)

시냇물 맑게 흐르고 고목은 푸르른데
봄볕 즐기며 시냇가를 거닌다
골짜기 깊고 숲 우거져 오는 사람은 없어
그윽한 꽃향기만 물 건너 풍겨오네
溪水淸漣樹老蒼(계수청련수노창)
行穿溪水踏春陽(행천계수답춘양)
溪深樹密無人處(계심수밀무인처)
只有幽花渡水香(지유유화도수향)

이제현은 이상의 시편을 소개해 놓고 말미에 자신의 느낌을 한 자 한 구가 모두 야광주를 소반 위에 굴리는 듯 사랑스럽다는 평을 덧붙인다.

또 원택의 다음 시,

물가의 산빛에 사창이 푸르른데
소나무 밑 석상에는 도서가 가득하네
바깥 손이 오지 않아 봄은 정히 고요하고
꽃 사이에서 우는 새만이 기우는 해를 전송하네
水邊山暎碧紗窓(수변산영벽사창)
松下圖書滿石牀(송하도서만석상)
外客不來春正靜(외객불래춘정정)
花間啼鳥送斜陽(화간제조송사양)

의 한 편을 왕안석과 결부시켜 음미하며 '참으로 형공(荊公 왕안석 호)의 시법을 체득한 절구' 라고 극찬한다.

반면 당시의 많은 시인이 즐겨 쓰는 운율로 정지상의 '사람을 보내며' 라는 한 편과 '제 등고사' '제 변산 소래사' '장원정' 등에서 각기 끌어온 일부 시구들을 나란히 열거하고 있다. 그 중의 사람을 보내며 한 편은 뒷 쪽에서 따로 소개하기로 하고 여기서는 먼저 그가 언급하는 나머지 시구들이다.

땅은 저 푸른 하늘에서 그리 멀지 않은 듯
사람이 흰 구름과 더불어 서로 한가롭네①
地應碧落不多遠(지응벽락불다원)
人與白雲相對閑(인여백운상대한)

뜬구름 흐르는 물 따라 객이 절에 이르니
붉은 잎 푸른 이끼 속에 중이 문을 닫누나②
浮雲流水客到寺(부운유수객도사)
紅葉蒼苔僧閉門(홍엽창태승폐문)

푸른 버들 아래 문 닫힌 엳아홉 집
밝은 달에 두어 사람 발 걷어 두고③
綠楊閉戶八九屋(녹양폐호팔구옥)
明月捲簾三四人(명월권렴삼사인)

북두성에 닿을 듯한 삼각형 집
허공에 반쯤 솟은 누대 한 간④
上磨星斗屋三角(상마성두옥삼각)
半出虛空樓一間(반출허공누일간)

돌머리 늙은 소나무엔 조각달이 걸렸는데
먼 하늘 낮은 구름은 하 많은 산 덮었네⑤
石頭松老一片月(석두송노일편월)
天末雲低千點山(천말운저천점설)

이제현이 언급하는 것처럼 옛날의 많은 시인이 즐겨 애용함직한 시적 표현이요, 문구들이다. 다만 정지상 시의 이 같은 유려함은 비단 익재만이 주목하고 있는 구절로 한정되지는 않는다. 예컨대 인용하고 있는 구절의 나머지 부분들만 음미해보더라도 잘 알 수 있다. 그렇지만 여기서는 ①의 제등고사와 ②의 제 변산 소래사 ⑤의 개성사 팔척방 만을 번역된 내용으로 살피기로 하자.

제등고사題登高寺
험한 돌길에 비단 같은 이끼가 아롱졌는데
이끼를 밟고 나니 예가 바로 선문일세.
땅은 저 푸른 하늘에서 그리 멀지 않은 듯
중은 흰 구름 더불어 서로 한가롭네.
따스한 햇살에 제비는 날아 별전으로 오고,
휘영청 달밤 잔나비 울음이 빈 산에 울려온다.
대장부 사방[7]의 뜻 있거니,
내 어이 덩굴에 달린 박이나 오이처럼
그 사이에 끼어서 살아가리.

제 변산 소래사
적막한 맑은 길에 솔 뿌리가 얼기설기
하늘은 가까워 북두성을 매만질 듯
뜬구름 흐르는 물 따라 객이 절에 이르니
붉은 잎 푸른 이끼 속에 중이 문을 닫는구나
가을바람 산들산들 지는 해에 불고

7) 옛 풍속에 아들을 낳으면 쑥대 활과 뽕나무 화살로 사방을 보고 쏘는데, 그것은 대장부가 사방의 뜻이 있어야 한다는 뜻이다.

산달이 차츰 훤한데 맑은 잔나비 울음 들린다.
기특도 한지고, 긴 눈썹 저 늙은 중은,
한 평생 인간의 시끄러움 꿈조차 안 꾸누나.

장원정8)
우뚝 솟은 쌍궐이 강가를 베고 누워,
맑은 밤에 티끌 한 점 찾기도 어렵네.
바람 등진 배 돛은 구름인양 조각조각
이슬 엉긴 궁 기와는 옥 비늘인가.
푸른 버들 속 문 일곱 여덟 집
밝은 달에 두 서너 사람 발 걷어두고
아득한 신선 고장 어느 곳에 있다던가
꿈 깨니 한창 봄 꾀꼬리 우네.

과연 이제현의 지적처럼 한 구 한 구가 모두 빼어난 시상이다. 그러나 덧붙인다면 세상을 바라보는 시인의 관점은 다소 문제가 있어 보인다.

높은 절에 올라 읊은 제등고사에서도 알 수가 있듯이 정지상의 시들은 대부분 그 소재가 절이나 자연 중심의 현실 밖 세계를 주로 다루고 있다. 즉 세상 밖의 사찰이

8) 고려 문종 10년(1056)에 이룩한 이궁 현 개풍군 광덕면 유정동 영좌산 남록에 그 터가 남아 있음. 고려 역대의 왕이 자주 그곳에 다녀가곤 하였다.

나 승려들의 삶 자체를 지나치게 미화시켜 그 자신이 추구하는 인간의 핑크빛 환상을 현실적인 삶이 아닌 제3의 공간을 통해 노래함으로써 대부분의 시상 자체가 인간의 본질에 대해서 지나치게 비판적이고 부정적이다. 그러나 사람의 마음을 움직이게 하는 풍경 묘사의 빼어남은 그 누가 보아도 모방하고 싶을 만큼 그 시구가 정말 절묘하다. 그리고 그런 점에서 정지상의 '송인送人'이란 작품은 한 번쯤 눈여겨 볼만하다.

참고로 정지상의 사람을 떠나보내며 읊은 '송인(送人)'은 수많은 옛날 시인들과 대동강의 연광정을 오가던 중국의 사신들조차 '신운(神韻)'이라고 극찬할 만큼 즐겨 애송되던 한 편의 이별시였다.

送人(송인)

비 갠 긴 언덕에 풀빛이 푸르른데
남포로 임 보내며 슬픈 노래 울먹이네.
대동강 물이야 어느 때 마를거나
해마다 이별 눈물 강물에 더하는 것을
雨歇長堤草色多(우헐장제초색다)
送君南浦動悲歌(송군남포동비가)
大同江水何時盡(대동강수하시진)

別淚年年添作波(별누년년첨작파)

사람을 떠나보내는 심정의 안타까움을 절묘하게 그려내고 있는 이 시는 대하는 이마다 감탄을 자아낼 만큼 너무나 잘 알려져 있다. 흡사 한 폭의 잘 그려진 풍경화를 마주하는 듯한 분위기다. 비 갠 강둑의 푸르른 풀빛 묘사도 묘사려니와 떠나보내는 이를 향한 안타까움으로 대동강물이 마를 날 없으리라는 풍자에 미치면 왜 이 시가 수많은 시인 가객에 의해서 그토록 즐겨 인용되었는지를 쉽게 짐작해 볼 수가 있다.

그래서 연암 박지원은 강을 사이에 둔 이별의 다음과 같이 언급한다.

"이별의 괴로움은 하나는 가고 하나는 떨어지는 때의 괴로움보다 더함이 없을 것이다. 대체 이러한 이별에 있어서는 벌써 그 땅이 그 괴로움을 돋구는 것이니, 그 땅이란 정자도 아니며, 누각도 아니며, 산도 아니며 들판도 아니다. 다만 물을 만나야만 격에 어울린다. 그때의 물이란 반드시 큰 것으로 강과 바다이거나 또는 작은 것으로 도랑과 개천이어야 됨은 아니고, 저 흘러가는 것이면 모두 가능한 물이다. 그러므로 천고에 이별하는 자 무한히 많건마는 유독 저 하량(河梁)을 일컫는 것은 무슨 까닭일까. 결코 천하의 유정(有情)한 사람이 아니건만 특히 그 하량이란 곳이 이별하는 땅임에 알맞았던 것이며, 그 이별이 그 땅을 얻었으니 괴로움이 가장 심한 것이다. 저 하량은 내가 아노니, 아마 얕지도 않고 깊지도 않으며, 잔잔하지도 않고 거세지도 않은 그 물결이 돌을 이끌어 안고 흐느껴 우는 듯하며, 바람도 불지 않는, 비도 내리지 않는, 음산하지도 않는, 볕도 쪼이지 않는, 그 햇볕이 땅을 감돌아 어슴프레 해미 끼이고 하수 위의 다리는 오랜 세월에 곧장 허물어지려 하고, 물 가의 나무는 늙어서 가지 없이 고목이 되려 하고, 물가의 모래톱은 앉았다 섰다 할 수 있고, 물속에는 물새 있어 떴다 잠겼다 노닐 뿐임에도.

○ 자구를 향한 마음의 적극적인 활용 시인의 몰입

물론 사족 같은 논란이지만 이 시를 소개하면서 이제현이 덧붙이는 한 마디는 이 시의 마지막에 쓰여진 자구 하나다. 지을 작(作)을 푸르다는 뜻의 녹(綠) 자로 바꿔야 한다고 지적했다.

원나라에서 고려로 귀화한 연남 양재가 이 시를 다시 베껴 적으면서 예의 작(作)을 불어난다는 의미의 창(漲) 자로 바꿔 쓴 데 대한 자기의 견해를 펼 때였다.

이는 어떤 의미에서 보아 시인들이 시를 읊으면서 하나의 자구에 시의 생명을 걸고자 하는 시 정신의 치열함을 느끼게 하는 한편 어느 면에서는 다소 지엽적인 문제에 매달려서 갑론을박하는 경향의 문학정신을 한 번쯤 돌아보게 만든다.

정도전의 시에 난파사영이라 제목한 시가 있었다.

그 끝에

울창한 저 송죽이여,

우뚝하게 홀로 뛰어났구나

鬱彼松竹(울피송죽)

挺然獨秀(정연독수)

라는 구절이 있었다.

뒤에 정(挺) 자가 곧 난파(蘭坡)[고려말기 이거인의 호) 의 집안 선조 휘임을 알고서 고치려고 생각을 하였다. 그러나 마땅히 글자가 생각나지 않아 성곡린에게 물었다. 그러자 성공이 나직하게 옛사람의 대나무에 관한 다음 시를 읊었다.

우뚝하게 바람 서리 곁에 서서

빛이 하늘 땅 차가운 데에 비추네. “

屹然風霜表(흘연풍상표)

色照乾坤寒(색조건곤한)

삼봉은 그 말이 떨어지자 그 뜻을 받아서 정(挺) 자를 흘(屹) 자로 고쳤다. 이에 똑 같은 우뚝하다는 의미이지만 뒤의 시구가 더욱 우아하고 건실하여 외울만 하다는 평이었다. 사소하다면 사소하고, 중요하다면 중요하다고 말할 수 있는 시 작업의 한 요소다.

○ 마음의 힘을 제약하는 시작 활동의 한계 조박(糟粕)

(이는 문장이나 시를 능사로 삼는 나 자신의 행위를 경계하고자 하나의 주제로 채택하였다.)

조선 조 태종 때에 급제하여 문장으로 세상에 이름을 떨친 김구경은 변계량과 사이가 평소에 좋지 않았다. 이는 변계량이 사문을 맡았을 때 김구경이 그의 단점을 많이 지적한 게 원인이었다. 그래서 변계량은 일찍이 시로서 김구경을 비방하였으니 그 내용은 김구경이 젊어 한때 중이었던 것을 조롱한 것이었다.

가도의 문장은 젊었을 때 일이요,

횡거의 학문은 만년 때 일이라. “

賈島文章少日事(가도문장소일사)

橫渠學問晩年時(횡거학문만년시)

당나라 때의 사람으로 시와 문장에 뛰어나 한퇴지의 극찬을 받았다는 가도는 젊었을 때 중이었고, 주역과 중용을 바탕으로 수많은 학자를 자기 자신의 문하에서 배출한 북송의 대학자 장횡거가 나이들어서는 불교와 도교로 기울어져 지냈으므로 이를 젊어서 중으로 활동한 김구경에게 빗댄 시구로 한때 사람들의 웃음거리로 전해졌었다고 한다. 그리고 그 둘 사이에는 마땅할 당(當)과 임할 임(臨)자를 사이에 두고서 결코 화해를 거부한 시작(詩作)상의 일화도 아직껏 남아 있다.

김구경이 일찍 연구를 지었을 때였다.

그는 읊기를

역루에서 술을 드니 산이 자리에 다닥치고,

나루에서 시를 읊으니 술이 배에 가득하도다,

驛樓擧酒山當席(역루거주산당석)

官渡哦詩酒滿船(관도아시주만선)

라고 하였다. 그러자 변계량이 그 중에 '당(當)' 자를 가리켜 '임(臨)' 자만 같지 못하다고 말했다.

김구경은 굽히지 않았다.

남산이 문에 다닥치니 더욱 분명하다는 글이 있으니 당자는 출처도 있다는 이유에서였다. 이번에는 김구경의 이 말 끝에 변계량이 말했다. 청산은 황하에 임하다는 글귀도 있는데 그대는 어찌 임자의 묘함을 모르냐는 힐난이었다. 그리고 그들은 시인으로서의 부질없는 자존심과 맞물려 끝내는 서로가 서로를 용납하지 못하는 지경에까지 이르렀다.

어쨌든 김구경은 변계량과 서로 사이가 좋지 않아 일찍 벼슬길의 요직에 임용되지 못했는데 두 사람 사이의 시에 얽힌 고사 중에 이런 예화도 있었다.

자신의 시구를 자랑할 속셈이던 변계량은 다음과 같은 시구를 한 수 읊어 거기에는 신의 도움이 있었다고 김구경에게 말했다.

허백虛白[9]은 하늘로 닿아 강가 고을이 새벽인데,
암황은 땅에 떠 버들 둔덕의 봄이로다.
虛白連天江郡曉(허백연천강군효)
暗黃浮地柳堤春(암황부지류제춘)

그러나 시적인 자부심에 관한 한 변계량에게 지고만 있을 김구경이 아니었다.

나도 일찍이
맑고 푸른 시냇물에 풀이 비치고
연록색 푸른 버들에 아지랑이 나부끼네.
바람이 아지랑이 끌어다가 푸른 버들을 가리고
구름이 비를 끌어다가 연꽃을 불지르는구나
淡白流靑溪暎草(담백류초계영초)
嬌黃漾綠柳烔烟(교황양록류형연)
風引淡烟遮碧柳(풍인담연차벽류)
雲拖淸雨折紅蕖(운타청우절홍거)

라는 시구를 얻은 적이 있었는데 그대의 시와 비교할 때 이것은 어떠한가 하였다.

변계량이 언짢아할 것은 당연했다. 다만 동인시화에서는 변계량이 그때 보여준 반응을 잠자코 기뻐하지 않았다

9) 허실생백(虛室生白)에서 따온 말. 방의 문을 열면 햇빛이 방안에 비치어 방안이 저절로 밝아진다는 말로서, 사람의 마음도 무념무상이면 스스로 진리를 깨닫는다는 뜻이 있다.

고만 전하는 정도다.

참고로 변계량에 대해서는 부정적으로 평가하는 기록이 있다.

인색한 성품과 고집에 관한 평가다.

그 예가 다음 사례다.

변변치 않은 물건이라도 매양 동과(冬瓜)를 잘라먹은 뒤에는 자른 자리에 표를 하였으며, 손님을 대하여 술을 마실 때는 그 잔 수를 계산하고 술병을 단단히 봉하여 두니 손님들이 그 인색한 얼굴빛을 보고 자리를 뜨는 사람이 많았다.

특히 세종이 그 문장을 중하게 여겨 하사하는 음식물이 많고 재상들도 다투어 술과 음식을 보냈는데 방안에 쌓아두고 날짜가 오래되어 구더기가 생기고 냄새가 온 집안에 가득할 때도 있었다. 그러나 썩으면 구렁텅이에 버리면서도 하인들은 한 방울도 얻어서 먹지 못하였다.

용재총화의 전언이다.

또 중국에서 흰 꿩을 얻었을 때였다. 우리나라에서 하례하는 표 중에 유자백치(唯玆白雉)라는 말이 있었다. 변계량은 이 말을 두고 특별히 글자를 띄어서 따로 써야 한다고 말했다. 다른 대신들은 위에 붙이지 않고 어째서 띄어 써야 하냐며 변계량의 말에 수긍하지 않았다.

곁에서 보고 있던 세종도 그 점은 여러 대신들의 말이 옳다고 하였다. 그러자 공은 이렇게 아뢰었다.

“밭 가는 일은 마땅히 종에게 물을 것이요, 베를 짜는 것은 여종에게 물어야 합니다. 외교 문서에 대해서는 마땅히 노신에게 맡기는 것이요, 함부로 다른 말을 옳다 할 것이 아닙니다.”

그러자 세종도 더 이상 대꾸하지 않고 그의 말을 따랐다.

어쨌든 변계량의 이 같은 경향과 고집스러움에도 불구하고 그의 문장은 묘하고 기상이 높으며 전아하였다고 전한다. 더욱 그는 시를 잘하여 맑으면서도 궁기가 없고 담담하되 얕지 않았다고 여러 서책에서는 전한다. 또 태종이 전날의 친구로 대접하였으며, 문형을 20여년 동안 맡았다.

그는 그동안 역대 신하들의 말이나 행실로써 경계가 되고 본 받을 만한 것을 모아서 정부상규설을 저술하였다.

이로써 보면 사람의 행실은 반드시 경술의 이치에 근거함이 옳을 수도 있다.

그런데 사실은 경술과 문장이 둘일 수는 없다.

어떤 관점의 시 세계를 지니고 있건 시는 곧 그 사람이 바라보는 마음의 눈이고 그 눈은 따뜻하고 자애로운 덕이 있어야 한다. 그래서 성현도 용재총화에서 이렇게 말하는 것은 아닐까.

“경술(經術)과 문장(文章)은 원래 두 가지 이치가 아니다.

육경(六經)은 모두 성인의 문장으로 일체의 사업에 그대로 나타나 있다. 지금 글을 짓는 자는 경술의 근본을 알지 못하고, 경술에 밝다는 자는 문장을 모르는데, 이는 편벽된 기습(氣習)뿐만이 아니라 이것을 하는 사람들이 힘을 다하지 않기 때문이다.”

이 역시 용재총화의 첫머리에 나오는 글이다. 세상을 향해 열려 있는 사람의 자애로운 인간성, 그것은 곧 문장의 가장 큰 힘이고 사람이 사람다울 수 있는 도리의 근본이다.

○ 마음 씀으로 인해 달라지는 이 세상 변화의 미묘한 흐름

유씨 성을 가진 조관(朝官)이 있었다. 그가 종남산 아래에 집을 사고 나서 갖가지 믿기 어려운 일들이 집에 연달아 일어나기 시작했다. 하루는 일찍 이러나 벽에 종이 조각이 걸려 있었다. 들여다보니 다음과 같은 시가 쓰여져 있었다.

밤이 다하도록 천 리 길을 가니
아득히 옛 땅은 비었네
슬피 부르짖어도 일월은 없고
머리를 돌리니 피는 붉게 물들었네
終夜行千里(종야행천리)
滄茫古地空(창망고지공)
悲呼無日月(비호무일월)
回首血流紅(회수혈류홍)

그로부터 집안이 알 수 없는 일로 자주 소란스러워지고, 벽에 자주 글씨를 써서 경고하기를,

"집주인이 나가지 않으면 장차 큰 화가 있을 것이다."

고 하였다. 그 조관은 어쩔 수 없이 집을 팔고 다른 곳으

로 옮겨 갔는데, 드디어 귀신이 크게 날뛰어 그 집에 들어와 사는 자는 문득 죽어 나가는 일이 생겼다. 그래서 그 집은 결국 폐가가 되어 버렸다.

그런데 유자신이 이 집에 들어와 옮겨 산 뒤로는 왕실과 잇달아 혼인하여, 금관자 옥관자가 집에 가득하고 부귀의 성대함이 근고에 아직 그만한 집이 없을 정도였다.

아마 복록이 후한 집에서는 귀신도 또한 보호해 돕기 때문일까? 이는 반드시 까닭이 있으리라.(부계기문)

○ 보고 듣고 만지며 숨 쉬면서 살아가는 자 한결같이 바라는 바는 부귀영화다. 자신에 대한 세상의 자자한 칭송과 지위는 하늘만큼 높기를 바라고 가진 재산은 수미산만큼 쌓이기를 바란다. 그러나 그것이 어찌 하루아침에 우연히 오리요. 씨를 뿌리고 김을 매며 이랑을 북돋는 정성의 마음 씀이 아니면 어느 것 하나 이루어지는 것이 없다. 그러니 씨 뿌리고 김을 매며 이랑을 북돋지 않고서도 씨 뿌리고 김을 매며 이랑을 북돋는 것 한 가지의 경사스러운 결실을 기대한다면 이는 참된 인간의 취할 도리가 아니다. 그래서 문언전(文言傳)에서도 말한다. 선을 쌓은 집안은 반드시 남은 경사가 있고 선하지 않은 일을 쌓아온 집에서는 반드시 남은 재앙이 있다는 것을. 또 이렇게도 말한다. 아래 사람이 그 윗사람을 죽이고 아들이 자식을 죽이는 등의 바람직하지 못한 사회 현상은 하루아침에

우연히 생겨나지 않으니, 반드시 그 말미암는 까닭이 있다고.

우리가 이 글을 읽으면서도 그 점을 깊이 염두에 두고 되새겨 볼 일이다. 다른 사람들과 달리 폐가로 이사하면서 누리게 되는 유자신의 복록을 떠올려 보는 귀신의 조화 그 자체가 이 글의 묘미는 아니라는 이야기이다. 내가 지금 살고 있는 모습, 내가 지금 추구하는 과녁 그것으로 결부시켜 자신을 돌아볼 줄 아는 슬기로움이 있어야만 한다. 그렇다면 거기서 우리는 자기 자신의 미칠 바와 자기 자신의 머물 바를 분명히 볼 것이니 스스로 때를 당해 두려워할 줄 알고 삶의 근본으로 자신을 돌이키는 후회 없는 일상을 영위할 수도 있을 것이다.

○ 아름다운 문장으로 표출된 우리 마음의 움직임

아름다운 시를 읽는다는 것은 우리 마음의 묘한 작용을 마주하는 일이다. 그러므로 옛 시인의 절구는 세상의 속기를 벗어난 경계로 이해를 해도 된다.

그 가운데 하나로는 이인로의 '소상팔경(瀟湘八景)'을 꼽을 수가 있다. 그들 시는 절구가 청신하고 아름다우며 보고 베껴 시로 읊은 뒷맛이 아주 공교롭다. 진화의 칠언(七言) 장구(章句)는 호방하고 깨끗하고 건장하고 우뚝하며 기이한 체를 얻었으니 모두 고금의 절창으로 후일의 작자는 쉽게 따를 수 없다.

서거정의 평이다.

이에 이인로의 소상팔경(瀟湘八景)을 감상해보기로 하자. 그런데 그의 소상팔경을 감상하려면 먼저 송대 송적의 팔폭 그림에 대해 알아야 한다.

참고로 제목으로 표시된 소상팔경(瀟湘八景)은 중국 호남성(湖南省) 동정호(洞庭湖) 남쪽 영릉(零陵) 부근에서 소수(瀟水)와 상수(湘水)가 합친 곳을 소상이라 부르는데 풍경이 매우 아름답다.

이를 송대의 풍경화가 송적(宋迪)이 8폭의 그림으로 그려 평사 낙안(平沙落雁)· 원포 귀범(遠浦歸帆)· 산시 청람

(山市晴嵐)· 강천 모설(江天暮雪)· 동정 추월(洞庭秋月)· 소상 야우(瀟湘夜雨)· 연사 만종(煙寺晩鍾)· 어촌 석조(漁村夕照)의 여덟 가지 화제를 달았다.

그로부터 많은 사람이 이를 두고 시사로 노래하게 되었는데 여기서의 소상팔경 역시 그 가운데의 하나로 큰 제목은 송적팔경도(宋迪八景圖)로 되어 있다.

平沙落雁(평사낙안)

물 멀고 아득한 하늘 해가 지는데,
별을 따라 기러기는 모래톱에 내리네.
줄줄이 가을 하늘의 푸름을 점쳐 깨뜨리니,
누런 갈대 낮게 스쳐 눈빛 꽃을 뒤흔드네.
水遠天長日脚斜(수원천장일각사)
隨陽征雁下汀沙(수양정안하정사)
行行點破秋空碧(행행점파추공벽)
底拂黃蘆動雪花(저불황노동설화)

遠浦歸帆(원포귀범)

나룻가 내 끼인 나무 푸르게 우뚝우뚝,
열 폭 부들 돛폭 만리의 바람일세.
옥같은 회, 은 같은 순채에 가을이 정히 맛나겄다.

돌아갈 흥을 이끌어 강동으로 가네.
渡頭烟樹碧童童(도두연수벽동동)
十幅編蒲萬里風(십폭편포만리풍)
玉膾銀蓴秋正美(옥회은순추정미)
故牽歸興向江東(고견귀흥향강동)

江天暮雪(강천모설)

눈의 뜻이 교태 많아 물에 내리기 더딘데,
저 수풀 먼 그림잔 이미 어수선하구나.
도롱이 입은 늙은이 겨울인 줄 몰라서,
동풍에 버들개지 날리는 땐 줄로 잘 못 아네.
雪意嬌多着水遲(설의교다착수지)
千林遠影已離離(천림원영이이리)
蓑翁未識天將暮(사옹미식천장모)
誤道東風柳絮時(오도동풍류서시)

山市晴嵐(산시청람)

아침 해 약간 떠올라 첩첩한 봉우리가 차다,
뜬 이내 가늘어라 엷은 비단을 펼친 듯하네.
수풀 사이 보일락 말락 몇 집이나 되는 걸까,
하늘 가 있는 듯 없는 듯 어디메 산일런고.

朝日微昇疊嶂寒(조일미승첩장한)
浮嵐細細引輕紈(부람세세인경환)
林間出沒幾多屋(임간출몰기다옥)
天際有無何處山(천제유무하처산)

洞庭秋月(동정추월)

구름 끝 잔잔한 황금병(黃金餠)
서리 뒤에 출렁이는 벽옥의 물결.
밤 깊어 바람 이슬 무거운 줄 알고자 하려거든
배에 기댄 어부의 한쪽 어깨 높아라.

참고로 원나라의 조자앙은 이 연을 고치기를,
"태호의 단풍잎 늦은데, 수홍정 위에서 삼고[10]를 찾다."
라고 하였다.

雲端瀲瀲黃金餠(운단렴렴황금병)
霜後溶溶碧玉濤(상후용용벽옥도)
欲識夜深風露重(욕식야심풍로중)
倚船漁父一肩高(의선어부일견고)

瀟湘夜雨(소상야우)

10) 오강吳江에 삼고사가 있는데, 삼고는 세 사람의 높은 선비를 말한다. 즉 전국 시대의 범예范蠡, 진나라의 장한張翰, 당나라의 육귀몽陸龜蒙이 그들이다.

한 줄기 창파에 양쪽 언덕 가을이라,
바람이 가랑비를 불어 돌아가는 배에 뿌린다.
밤사이 강변의 대숲 가까이 와서 자니
잎 잎에 찬 소리가 모두 다 수심일세.
一帶滄波兩岸秋(일대창파양안추)
風吹細雨洒歸舟(풍취세우쇄귀주)
夜來泊近江邊竹(야래박근강변죽)
葉葉寒聲摠是愁(엽엽한성총시수)

煙寺晩鍾(연사만종)
찬 구비 돌사다리 길 흰 구름이 봉했는데,
바위에 나무 푸르름이여 저녁 빛이 짙어라.
연방(蓮坊:절)이 푸른 절벽에 숨었음을 알겠구나,
좋은 바람 한 소리 종을 흔들어 떨어뜨린다.
千回石徑白雲封(천회석경백운봉)
巖樹蒼蒼晩色濃(암수창창만색농)
知有蓮坊藏翠壁(지유연방장취벽)
好風吹落一聲鍾(호풍취락일성종)

漁村落照(어촌낙조)

수양버들 기슭에 반만 숨은 초가집들,
나무다리 건너면 흰 마름 우거졌네.

해 기울어 강산이 빼어날 때 더욱 느끼노니,
일만 이랑 붉은 물결 위에 두어 점이 푸르구나.
草屋半依垂柳岸(초옥반의수류안)
板橋橫斷白蘋汀(판교횡단백빈정)
日斜愈覺江山勝(일사유각강산승)
萬頃紅浮數點靑(만경홍부수점청)

반면 이제현의 소상팔경 또한 이에 못지않다. 이 시는 이름이 효수인 박석제와 이름이 혁인 윤저헌의 은대집(銀臺集)에 소상팔경을 운으로 지은 것에 화답한 칠언절구(七言絶句)이다.

平沙落雁(평사낙안)

줄줄이 점점이 가지런했다 비꼈다
찬 허공에서 내려와 따뜻한 백사장에 자려다가
언덕으로 날아 옮겨감을 이상해 하였더니
뱃사람들 갈대꽃 우거진 속에 쑥덕이고 있어서네.
行行點點整還斜(행행점점정환사)
欲下寒空宿暖沙(욕하한공숙난사)
怪得翩翻移別岸(괴득편번이별안)
舳艫人語隔蘆花(축로인어격로화)

遠浦歸帆(원포귀범)

배 부리는 장사꾼들 아이들과 같아서,
사람마다 향불 사뤄 순풍을 기원하네.
호수의 신이 여러 사람 소원 다 이뤄주어,
돛 올린 모든 배들 제 각기 서로 동으로.
行舟賈客似兒童(행주고객사아동)
香火人人乞順風(향화인인걸순풍)
賴是湖神能泛應(뢰시호신능범응)
衆帆齊擧各西東(중범제거각서동)

瀟湘夜雨(소상야우)

단풍나무 잎과 갈대꽃 풍경 물나라 가을인데,
온 강의 비바람이 조각배에 뿌려서.
초나라 손의 삼경 꿈을 놀라 깨게 하고,
상비[11]의 만고 시름을 나누어 적셔 준다.
楓葉蘆花水國秋(풍엽노화수국추)
一江風雨灑扁舟(일강풍우쇄편주)
驚廻楚客三更夢(경회초객삼경몽)
分與湘妃萬古愁(분여상비만고수)

11) 순舜 임금이 남쪽을 순행하다가 창오산蒼梧山에서 죽었다. 그의 두 비妃인 아황娥皇과 여영女英이 이에 소상강에서 슬피 운 것을 두고 하는 문구.

동정 추월洞庭秋月

삼경의 밝은 달빛 은한이 밝은데,
만 이랑 가을빛이 흰 물결에 가득해라.
호수 위의 뉘 집에서 쇠 피리를 부는가,
푸른 하늘 끝없는데 기러기 떼는 높이 떴네.
三更月彩澄銀漢(삼경월채징은한)
萬頃秋光泛素濤(만경추광범소도)
湖上誰家吹鐵笛(호상수가취철적)
碧天無際雁行高(벽천무제안행고)
山市晴嵐(산시청람)

아득하여라 펀펀한 숲에 푸른 안개가 찬데,
누대들은 은은히 비단을 격하였다.
어찌하면 바람이 불어 쓸어가서
우리 왕가의 착색한 산을 도로 나타낼고.
漠漠平林翠靄寒(漠漠平林翠靄寒)
樓臺隱約隔羅紈(누대은약격라환)
何當捲地風吹去(何當捲地風吹去)
還我王家着色山(환아왕가착색산)

漁村落照(어촌낙조)

떨어지는 해는 차차 먼 산봉우리에 빠지고,
돌아오는 조수는 철썩철썩 찬물 가에 오른다.
고기 잡는 사람들은 흰 갈대꽃 속으로 들었는데,
두어 점 밥 짓는 연기 날 저물어 더욱 푸르다.
落日看看嗡遠岫(낙일간간함원수)
歸潮咽咽上寒汀(귀조인인상한정)
漁人去入蘆花雪(어인거입노화설)
數點炊烟晩更靑(수점취연만갱청)

江天暮雪(강천모설)

버들개지가 허공을 날며 더디 내리려는 듯,
매화꽃이 땅에 떨어져 자태를 뽐내는 듯.
강루 위의 한 단지 술마저 비우며,
도롱이 입은 어옹의 낚싯줄 거둘 때를 지켜보네.
柳絮飛空欲下遲(유서비공욕하지)
梅花落地亦多姿(매화락지역다자)
一樽且盡江樓酒(일준차진강누주)
看到蓑翁捲釣時(간도사옹권조시)

煙寺晩鍾(연사만종)

한 폭의 단청을 펼쳐 놓으니,
두어 줄의 수묵이 묽은 듯 다시 짙다.
그림 그리는 붓으로 실제 할 수 없는 것은,
남과 북의 절에서 울리는 종소리의 은은함.
一幅丹青展不封(일폭단청전불봉)
數行水墨淡還濃(수행수묵담환농)
不應畵筆眞能爾(불응화필진능이)
南寺鍾殘北寺鍾(남사종잔북사종)

○ 사물에 의탁한 마음의 묘한 작용

옛날 시인들은 사물에 의탁한 비유에 능했는데 말이 정밀하고 절실하였다. 세상을 바라보는 마음의 묘한 힘을 활용할 줄 아는 재주의 반영이다.

황산곡(黃山谷)이 다미(荼蘼)를 읊은 시에,

"이슬이 젖었으니 어떤 선랑(何郞)이 탕병회(湯餠會)를 시험하고

햇볕에 말리어 순령荀令이 화로에 향을 꽂더라."

露濕何郞湯餠(노습하랑탕병)

日烘荀令炷爐香(일홍순령주노향)

한 것은 장부丈夫를 꽃에 비유한 것이고,

문정文靖 최항崔恒이 검정 콩을 읊은 시에

흰 눈은 흡사 손님을 싫어하는 뜻이요,

검은 몸둥이는 아직도 복수할 마음이 가득하구나. "

白眼似嫌憎客意(백안사혐증객의)

漆身還有報仇心(칠신환유보구심)

한 것은 문인 열사를 검정콩에 비유한 것으로, 문구의 표현이 특히 기이하다.(서거정)

○ 마음의 다양한 활용 동국 시풍의 변천

우리나라 사람은 시의 격률이 신라 말기에서 고려 말엽에 이르는 동안 무려 세 번이나 변하였다. 그 동안에 풍교(風敎)를 기록하고 선을 칭찬하고 악을 비난하는 내용으로 , 열고 닫으며 억양이 깊은 심상을 표현하여 가히 당과 송에 견주고 후세에 모범이 될만한 것이 또한 적지 아니하다. 쾌헌(快軒) 김태현(金台鉉)·괴산(槐山) 최해(崔瀣)·석간(石澗) 조운흘(趙云仡)이 각각 선집이 있는데, 석간은 간략하고, 쾌헌은 잡스러우며 오직 괴산의 편저가 자못 체재를 얻었다고 하겠다.(풍아서)

○ 글로써 드러낸 우리 마음의 또 다른 경계

김매순은 삼한의 열녀전 서에서 말한다.
글을 짓는 체가 셋이 있으니,
첫째는 간단한 것이요,
둘째는 진실한 것이요,
셋째는 바른 것이다.
하늘을 말할 때 하늘이라고만 하고, 땅을 말할 때 땅이라고만 하는 것을 간단하다 하고, 나는 것은 물에 잠길 수 없고 검은 것은 희게 될 수 없는 이것을 진실이라고 하며,

옳은 것은 옳다 하고 그른 것은 그르다 하는 것을 바른 것이라 한다.

그러나 마음의 미묘한 점은 글로써 드러내는 것이니, 글이라는 것은 자기 뜻을 드러내어 남에게 알리는 것이다. 그러므로 간단하게 말하여 부족하면 말을 번거롭게 하여 창달하고, 진실되게 말하여 부족하면 사물을 빌어 비유하며, 바르게 말을 하여 부족하면 뜻을 되돌려서 깨닫게 하니, 번거롭게 하여 창달하는 것은 그 속됨을 싫어하지 않으며, 빌어다 비유하는 것은 기이한 것을 싫어하지 않고, 되돌려 깨닫게 하는 것은 격한 것을 병으로 여기지 않으니, 이 세 가지가 아니면 쓰임이 창달되지 않아 본체는 독립할 수 없는 것이다.

(그래서) 요가 말하기를

"넘실거리는 홍수는 방금 큰 해가 되어 산을 안고 언덕에 올라 넓고 넓어서 하늘에 닿을 듯하다. "

하였으니, '아 저 홍수' 라는 한 말이면 충분할 것을 이미 '넘실거린다' 하고 또 크다거나 넓다고 하였으니, 말로서 넘쳤는데도 다시 손과 눈으로 돕고 있으니 또한 속되지 않은가?

「시경」에

직녀는 종일 일곱 필을 짠다지만,

포백의 문채를 이루지는 못함이요.

저 견우(牽牛)를 보면,

수레를 멍에 메워 끌지는 못하누나.

雖則七襄(수칙칠배)

不成報章(불성보장)

睆彼牽牛(완피견우)

不以服箱(불이복상)

하였으니, 별이 베를 짜거나 수레를 몰지 못하는 것은 삼척동자라도 아는 것이니, 이 어찌 기이한 말이 아닌가?

재여宰予가 상제喪제 노릇하는 기한을 단축하려 하자 공자가,

"네가 편안하면 그렇게 하여라."

하였다.

재여에게 이 말을 옳다고 그대로 믿게 하여 그 상을 단축하였다면 어찌 되겠는가? 이것 역시 (사람을) 격동시킨 것이 아니겠는가?

그러나 하·은·주의 삼대 이전은 순박함을 잃지 않았으며, 성인은 중화의 극치인 것이다. 그러므로 말을 하면 문장이 이루어진다. (따라서 거기에 준하여 본다면) 속된 것은 창달하는데 적당하여 비속한 데 흐르지 않아야 하며, 신

기한 것은 비유에 넉넉하여 속임수에 빠지지 않아야 하고, 격동시키는 것은 깨닫게 되기를 기약하고 집요하게 하나 어그러지는 데 떨어지지 않아야 된다. 이것을 소리에 비유하면 크게는 뇌성벽력으로부터 작게는 모기나 파리 소리에 이르기까지 일일이 열거하여 셈하여 헤아리면 어찌 천 가지 만 가지에 그치겠는가? 선대의 왕들이 음악을 만들 때 음은 다섯에 지나지 않고 율은 열 둘에 지나지 않는 것은, 절도를 취하여 가운데에 맞게 한 그대로인 것이다.

○ 서로 다른 시각에 주목한 마음의 다양한 힘

집현전의 직제학까지 지낸 유효통은 문장을 잘하여 시 짓는 공부를 여러 사람과 이야기한 적이 있었다. 그는 그 때 자신의 지론에 대해서 말하기를,

"옛사람은 3상(上)에서 더욱 시를 잘 생각할 수 있다고 하는데, 그것은 말을 탔을 때(馬上)·잠자리에서(枕上)·변소에서(厠上)라 하나 나는 그렇지 않고 3중(中)에 있으니, 한가한 중에(閑中)·취한 중에(醉中)·달 밝은 중에(月中)이다." 라고 하였다. 사람들은 그 말을 듣고 "자네의 삼중(三中)이 과연 삼상(三上)보다 낫다." 라고 하였다.

○ 최충헌이 문객 40여 명을 모아 겨울의 모란(牧丹)을 완상하면서 이규보를 초청하여 여러 사람들의 성姓으로 압운押韻하여 시를 짓게 했다. 옛 사람들은 사람의 성자를 따서 압운하여 지은 시가 없으니 이것은 다만 시인들이 희롱한 것이지 시의 정체는 아니다.(서거정)

○ 만취당 晩翠堂 조선생[趙須를 일컬음]의 영추악시(詠秋嶽詩)에,

낫을 간 것이 흡사 신월 같다."

磨鎌似新月(마겸사신월)

는 문구가 있다.

달성 서거정을 향해 하는 말이,

한퇴지 시에

신월이 흡사 간 낫과 같다."

新月似磨鎌(신월사마겸)

이라고 하였으니,

"나는 이 말을 썼으나 뜻은 반대된다."

하였다. 이것은 소위 번안법(翻案法)이다.

○ 굳이 번안법 류가 아니라도 옛사람의 시작에는 "대가 아닌 구는 없다" 는 게 일반적인 지론이다. 사예 설위가 집정관에게 거슬리어 관직을 빼앗기고 지은 시구가 있었다.

"갑(甲)한테 당한 노여움을 화풀이는 을(乙)에 하니, 써 주면 일할 것이고 버리면 그만두지."

라고 하였다

달성 서거정은 당시 동궁에 있으면서 한 구(句)를 지어 "나라 다스리기 손바닥에 둔 것같이 쉽다." 하니,

문정 최항이 사람에게 눈동자보다 더 좋은 것은 없다. 라고 읊었음을 보면 진실로 천하에 대(對)가 안 되는 시구는 없는 게 맞다.

○ 도은(陶隱) 이숭인(李崇仁)과 삼봉(三峰)

정도전(鄭道傳)은 한때 서로 시로 이름이 났다.

이숭인은 청신하고 고상하였으나 웅장하지 못하였고,

정도전은 호탕하고 분방하였으나 단련(鍛鍊)함이 적어 서로 장단점이 있었다.

목은(牧隱) 이색(李穡)이 매번 시를 평하면서,
"이숭인이 앞이요, 정도전이 뒤라." 고 하였다.

○ 사암(思菴) 유숙(柳淑)의 걸퇴시(乞退詩)에,

"큰 이름 아래서 오래 있기 어렵다."

大名之下久居難(대명지하구거난)

하였더니, 참소하던 자가 신돈에게 일러 바쳐 목숨을 잃었고,

정숙 박안신은 나라 일을 말한 죄로 주살 당하게 되자 하나의 절구를 읊어,

"군주가 간하는 신하를 죽였다는 이름이 날까 두렵다."

恐君得殺諫臣名(공군득살간신명)

이라고 하였다.

그러자 태조가 듣고 노여움을 풀어 무사하였으므로 사람들이 "시가 사람을 죽이기도 하고 또 살리기도 한다." 고 하였다.(서거정)

앞의 예화 이외에도 하나의 자구에 집착한 예는 매우 많다.

○ 신라 학사 박인범이 경주(經州) .용삭사(龍朔寺)에서 시를 지어,

"등은 반딧불을 흔들어 새 나는 길에서 울고,
사닥다리는 무지개 같은 그림자를 드리워 편편한 바위에 떨어져 있다."
燈撼螢光鳴鳥道(등감형광명조도)
梯回虹影落岩扁(제회홍영낙암편)
라고 읊은 것과,
고려 참정 박인량이 사주 구산사에서 지은 시에,
"탑 그림자는 거꾸로 강 물결 속에 박혀 있고,
종소리는 달을 흔들어 구름 속에 떨어진다."
塔影倒江飜浪底(탑영도강번낭저)
磬聲搖月落雲間(경성요월락운간)
는 구가 비로소 우리나라 시로는 처음으로 중국에 이름을 떨치게 되었는데, 이 두 시는 모두 여지승람에 실려 있다 [서거정].

○ 유사한 마음의 묘한 움직임을 본뜬 시의 생명

대구

익재 28세 때의 일이었다. 원(元)에서 충선왕이 만권당에 모인 그곳 학사들과 더불어 시 한 수를 지었다. 그 가운데

鷄聲恰似門前柳(계성흡사문전류)

닭소리는 마치 문전의 버들가지 같다

는 구절이 있었다. 그곳에 모인 학사들은 그 문구의 출처를 문득 물었다. 무심히 그 구절을 읊은 왕으로서는 대답할 길이 막연하였다. 이에 어떻게 대답해야 할지 망설이는 충선왕을 대신하여 이공이 나섰다.

"우리 동인시에

해가 뜨자 지붕 위의 닭 울음소리

늘어진 수양버들처럼 길구나

屋頭初日金鷄唱(옥두초일금계창)

恰似垂楊裊裊長(흡사수양효효장)

라는 시구가 있는데 이는 닭 울음소리의 가늘고 긴 것을 버들가지에 비유한 것이니 전하께서도 이 뜻을 취하신 것이요, 또한 한퇴지의 시에도 이와 같은 시구가 있소." 라고 하였다.

자리에 모여 앉은 학사들은 그 말에 눈이 모두 휘둥그

래지는 결과가 되었다. 이는 익재가 우리 시의 격조를 높인 것으로 그들이 알지 못한 그들 나라 시구의 작자까지 밝혀 주었으니 이는 선왕 충선의 체모를 살린 것 이상의 의미를 지닌 것이다[익재집, 해제].

이른바 댓구에 밝아야 하는 익재의 일화다.

시에 관한 댓구라면 최영을 빼놓을 수도 없다.

○ 댓구로 발휘된 최영 마음의 빼어난 움직임

고려의 최영은 그의 아버지가 어렸을 때부터 늘 황금(金) 보기를 흙과 같이하라고 가르쳤다. 최영이 그때의 견금여토(見金如土) 네 글자를 큰 띠에 써서 종일토록 지니고 다니면서 잊지 않았다.

나라의 실권을 행사하며 위세가 나라 안팎에 미쳤으나 남의 것을 조금도 취하지 않고 겨우 먹고 사는데 만족할 뿐이었다.

당시의 재상들은 서로 사람을 초대하여 바둑으로 날을 보내면서 대접하는 음식이 매우 성대했으나 공은 이와 달랐다.

사람과 시간을 보내면서도 한낮이 지나도록 찬을 내놓지 않다가 날이 저물어서야 기장과 쌀이 섞인 밥에 잡동사니 나물을 차려 손님을 대접하는 게 고작이었다. 손님

들은 마침 배고픈 참이라 하찮은 나물 반찬까지 송두리째 바닥을 보이고는

"철성(최영의 호) 집 밥이 맛이 좋다."

하였다. 공은 그 말에 웃으면서 "이것도 용병(用兵)을 하는 하나의 꾀입니다." 하고 대꾸하였다.

그의 이와 같은 재치는 시작에 있어서도 조금도 다르지 않았다.

이성계가 시중이 되었을 때였다.

연을 달아 시를 짓기를,

3척 칼머리에 사직이 편하구나

三尺劍頭安社稷(삼척검두안사직)

라고 하였다. 당시의 문사들이 여기에 대해 아무도 對句(짝이 되는 시구)를 달지 못했다.

최영이 그때

한가닥 채찍 끝으로 천지를 안정시킨다

一條鞭末定乾坤(일조편말정건곤)

이라는 시구로 응답했다.

그 자리에 모인 사람들은 그의 이같은 날렵한 재치에 모두 탄복하였다.

그러나 그의 진정한 재치는 이같이 번뜩이는 시적인 기교만은 아니었다. 죽음을 맞아 삶을 돌아보고 자기 자신의 허물을 자책할 줄 아는 내면의 깊은 성찰 그것이야말

로 진정한 최영의 시적인 힘으로 다가온다.

최영이 나중 이성계를 반대하면서 죽음으로 내몰릴 때였다.

그로서는 억울한 죽음이었지만 마지막 유언은 세상에 대한 원망이 아니다.

평생동안 나쁜 짓을 한 일이 없는데, 다만 임렵을 죽인 것이 지나쳤다. 내가 탐욕한 마음이 있었다면 내 무덤 위에 풀이 날 것이고, 그렇지 않았다면 풀도 나지 않을 것이다.

그가 말하는 임렴의 일이란 고려 말에 임견미와 염흥방이 간사한 처신으로 임금과 조정을 농락하다가 최영에게 몰려 그의 일족이 모두 죽음을 당한 일이었다.

정말 그가 죽고 나서 그의 무덤은 한줌의 잔디도 자라지 않는 홍분(紅墳)으로 불려졌다고 하니 아마 그것이야말로 진정한 그의 마지막 시 정신이 아니었을까. 우리가 지나간 기억 속 최영의 모습에서 한 자락이나마 시인으로서의 진정한 재치를 새삼스레 인정해야 한다면 그는 반드시 앞에서 언급한 시적인 재치에만 있지 않을 것이다. 기록 속에 남아 있는 최영의 최영다웠던 그의 정신 그것을 우리가 기억하기 때문이다. 그러므로 우리가 말하는 시인의 시적인 재치란 바로 그 힘이 시인의 시 정신에 있어야 할 것임은 추호의 의심도 있을 수 없다.

○ 뜻에 기인하는 사람의 기품

서경(書經)에 보면 하늘이 흠향하는 것은 기장의 향기로움만이 아니라는 구절이 있다. 세상을 살아가는 사람의 덕으로 인한 향기 바로 그 사람의 정신을 강조하는 내용이다. 다음의 시도 마찬가지다.

금이 많으면 사람이 귀하게 되나,
시가 없으면 사람을 속되게 만든다.
돌은 무디고 딱딱해도 해로울 게 없지만
계수나무의 향기로움은 끝내 베임을 당한다.
실이 물들여진대도 슬퍼할 게 없음이요.
갈림길이 많다고 하필 울어야 할까 보랴.
대는 군자의 지조를 보겠고
솔은 추운 때의 혹한에도 굳건하다.
표주박으로 마시는 것은 참으로 즐거우며
달팽이 집은 애오라지 스스로 쾌적하다.
흙 평상은 겨울에 발을 덥히고
사리짝 창문에는 여름에 머리를 흩으린다.
가죽띠는 아들의 완고함에 맡겨두고
남루한 옷은 첩 두기에 마땅치 않아 좋다.

초목과 함께 썩고 말 인생을
어찌하여 그다지 분주할 것인가!
金多令人貴(금다영인귀) 無詩令人俗(무시영인속)
石頑固不害(석완고불해) 桂香終見伐(계향종견벌)
絲染不須悲(사염불수비) 歧多何必泣(기다하필읍)
竹看君子操(죽간군자조) 松變歲寒骨(송변세한골)
匏飮信可樂(포음신가락) 蝸室聊自適(와실료자적)
土床冬暖足(토상동난족) 華牖夏散髮(화유하산발)
革帶任男頑(혁대임남완) 藍衣置妾惡(남의치첩악)
木草與同腐(목초여동부) 一生何役役(일생하역역)

홍일동의 팔음체를 본떠서 지은 여덟 도막으로 이루어진 한 편의 시다.

팔음체를 모방하여 강중에게 붙인다는 제목으로도 알 수가 있듯 자기 자신의 정신적인 유유자적함을 동양의 악기인 금(金)·석(石)·사(絲)·죽(竹)·포(匏)·토(土)·혁(革)·목(木)의 팔음(八音)에 비겨 잘 드러내고 있다.

구성은 전체적으로 십 육 구다.

금보다는 시를, 세상에 드러나는 명예보다는 돌과 같은 묵묵함을, 그러면서도 대와 같은 군자의 지조와 혹한 앞에서도 굳굳한 소나무의 기상을 이 시의 작자는 강조한다. 따라서 그에게는 달팽이 집과도 같은 움막 생활도 한 바가지의 물에 만족해야 하는 현실 생활도 전혀 불편하지 가 않다.

유한한 인생의 유한한 삶을 염두에 두고서 조악한 삶의 일상일지라도 하나의 정신적인 여유로움이라면 기꺼이 수용하려는 자세가 엿보인다. 그까짓 껍데기에 휘둘려 아둥바둥거려야 할 까닭이 없는 것이다.

묵자는 흰실이 물드는 것을 보고 울었다지만(墨悲絲染) 그것은 한 번 물들면 다시 희게 될 수 없다는 안타까움 때문이었다. 그러나 지금의 필자에게는 새삼스러운 노릇이다. 대나무와 같은 지조와 소나무와 같은 절개가 자신에게 있다고 믿기 때문이다. 그렇다면 가죽띠의 무딤도 남루한 옷차림도 무엇을 다시 서글퍼하랴. 그의 높은 기상과 헌걸찬 삶의 절개가 감동적인 한편의 시구다.

실제 그는 성품이 천진하였고 외양을 치레하지 않았다. 홀로 오래된 거문고를 어루만지기를 좋아했는데 줄은 있어도 악보는 없었다.

일찍 여기에 대해 그는 말하기를

“나의 거문고는 천 년간 전해지지 못했던 도연명의 아취를 얻었으니, 연명이 살아나지 않는다면 알아줄 사람이 없을 것이다”

라고 호언하기까지 했다.

세종 조에 급제하여 동중추부사에까지 오른 그는 임금인 세조 앞에서도 자기의 할 말을 굽히지 않는 기질의 소유자이기도 했다. 즉 불사를 논하면서였다.

세조가 거짓으로 성내며 말하기를

"당장에 이놈을 죽여 부처에게 사죄하리라."

하며, 좌우에 명하여 칼을 가져오라 하였다.

홍일동은 태연자약 자기의 할말을 여전히 계속하였다. 좌우에서 칼을 그 목에다 두 번이나 가져다 댔지만 또한 돌아보지도 않고 두려워하는 빛도 없었다.

그러자 임금이 장하게 여겨 물었다.

"너는 죽기를 두려워하지 않는가?"

일동이 말했다.

"마땅히 죽어야 하면 죽고 살아야 하면 사는 것이지, 어찌 감히 죽고 사는 것으로써 그 마음을 바꿀 수야 있겠습니까?"

임금은 가상히 여겨 가죽옷 한 벌을 주면서 그의 가상함을 칭송하였다.

그는 술을 많이 마시는 편이었다.

취하면 풀잎으로 피리 부는 소리를 내는데 소리가 비장하고 울림이 매우 컸다고 전해 온다.

본관은 남양, 자는 일휴(日休)였으며 호는 마천자(麻川子) 그는 타고난 자질이 시 등의 문장에도 매우 빼어났다.

○ 사물을 바라보는 마음의 다양하고도 미묘한 힘

우리는 잘 된 시가 아니라도 소박한 글쓰기만으로도 사물의 여러 가지 개념에 대해 다양한 관점을 경험할 수가 있다. 왜냐하면 시에서 다뤄지는 세상 모든 사물의 이미지는 실제로 우리가 알고 있는 고정적인 형태의 이미지를 항상 벗어나 있기 때문이다.

현대의 동시를 하나 예로 들어보자. 제목은 윤운강의 연필이다.

연필

사각사각

그것은
내
꿈의 바구니

때로는
그 속에서
키가 커다란
황금 해바라기도 나오고

더러는
반짝이는
밤하늘의
보석 반지도 나오고,

사각사각

계절이 바뀌면
다정한
벗에게
꽃잎 엽서도 띄우고---

지금은 오밤중.
풀벌레
노래를 들으며
사각사각
시를 적는다.

글을 쓰는 연필이 꿈의 바구니였다가 황금 해바라기였다가 꽃잎 엽서로 변신을 한다.

연필을 연필로만 바라보는 고정 관념을 순식간에 벗어나 있다. 하물며 실체가 없는 공(空)으로 이해하지 못할 바는 무엇이겠는가.

○ 마음의 묘한 작용에 의탁한 사물 이미지의 무한한 확장력

누구나 인정하는 바이지만 글쓰기는 다른 기성 시인들의 여러 작품들을 본뜨면서 이루어질 때가 많다. 그것은 문장의 표현 기법의 문제를 떠나서 바라볼 필요가 있다. 이는 시적 표현의 문제이면서 세상을 바라보는 마음의 눈을 단련시키는 과정이다.

그랬을 때 우리는 하나의 소재를 두고 시를 짓는 방법을 배우면서도 그 사물을 어떻게 이해하느냐는 마음의 눈이 정리되는 것이다. 남의 작품을 모방하면서 터득되는 시풍이나 형식, 혹은 소재를 다루는 방식등의 관점은 그 다음의 얻어지는 소득이 된다. 이처럼 모방에서 시작하지만 자기의 눈과 자기의 생각이 자리잡히면서 차츰 모방하는 글쓰기로부터 벗어나 자기의 세계가 자기도 모르게 구축되는 행위 자체가 사물을 이해하는 마음의 눈과 관련되어 있다는 점에서 시는 결국 선(禪)이라는 결론이 생겨나는 것이다.

구체적인 예를 통해서 확인해 보자.

인용문은 서강대학교의 대학원 논문으로 제출된 장르별 쓰기의 실제 예화이다. 논문 작성자는 문영선이다.

주어진 견본시는 한용운의 '사랑' 이었다.

사랑

봄 물보다 깊으니라.
가을 산보다 높으니라.
달보다 빛나니라.
돌보다 굳으리라.
사랑을 묻는 이 있거든
이대로만 말하리.

여기에 대한 학생들의 모방시는 다음과 같다.

우정

봄의 햇살처럼 따뜻하리라.
가을 단풍처럼 아름다우리라.
봄처럼 투명하리라.
비단처럼 부드러우리라.
우정을 묻는 이 있거든
이대로만 말하리.

다음은 소재가 공부로 되어 있다.

공부

먹물보다 어두우리라.
막노동보다 힘드니라.
장님보다 답답하리라
사탕보다 달콤하리.
공부를 묻는 이 있거든
이대로만 말하리.

또 한편의 견본시는 김춘수의 분수였다.

분수

1
발돋움하는 발돋움하는 너의 자세는
왜 이렇게
두 쪽으로 갈라져서 떨어져야 하는가,

그리움으로 하여
왜 너는 이렇게
산산이 부서져서 흩어져야 하는가,

2
모든 것을 바치고도

왜 나중에는
이 찢어지는 아픔만을
가져야 하는가,

네가 네 스스로에 보내는
이별의
이 안타까운 눈짓만을 가져야 하는가,

3
왜 나는
다른 것이 되어서는 안 되는가,

떨어져서 부서진 무수한 네가
왜 이런
선연한 무지개로
다시 솟아야만 하는가,

지우개

청운중 3 김환

조그마하고 네모난 너의 자태는
왜 이렇게
작고 볼품이 없는가.

자신의 몸을 바쳐서
왜 너는 이렇게
작아지는가

네가 네 스스로 작아지는
이 고통의
안타까움을 왜 웃음으로 표현하려 하는가.

왜 너는
다른 것이 되어서는 안되는가!

지워져서 없어지는 무수한 네가
왜 이렇게 하얗고 깨끗한 종이로
다시 남겨져야만 하는가!

또 한 편의 시는 공을 소재로 접근하고 있다.

공

청운중 3 강상구

동그란 동그란 너의 자태는
왜 이렇게
이리저리 굴러다녀야 하는가

사람들로 하여금
왜 너는 이렇게
이리저리 날아다녀야 하는가

너의 몸 전부를 바치고도
왜 나중에는
이 시커먼 먼지 맛을
뒤집어써야 하는가

네가 네 스스로에 보내는
눈물의
이 쓰라린 아픔만을 가지는가

왜 너는
다른 것이
되어서는 안 되는가

날아가서 떨어진 네가
왜 이런 낡은 공으로 남아야만 하는가

사랑을 소재로 한 시가 학생들에 의해서 우정, 분수, 지우개, 공으로 확산되고 있다. 그것의 기능, 그것의 의미, 그것의 관계성 등이 다양한 의미로 재해석되고 있다. 흡사 본래 실체가 없는 우리 마음의 신비로움을 일깨워주는 일련의 사례들이다.

본래 실체가 없는 공(空)임에도 묘하게 실체가 있는 것처럼 보이는 마음의 신비로운 작용을 역력하게 확인할 수 있게 만드는 이미지의 증거들이다.

오묘한 마음의 힘과 한시(漢詩) 이야기

발 행 | 2024년 07월 30일
저 자 | 김가원
펴낸이 | 한건희
펴낸곳 | 주식회사 부크크
출판사등록 | 2014.07.15.(제2014-16호)
주 소 | 서울특별시 금천구 가산디지털1로 119 SK트윈타워 A동 305호
전 화 | 1670-8316
이메일 | info@bookk.co.kr

ISBN | 979-11-410-9838-4

www.bookk.co.kr